きみの
背中を押す
偉人の言葉80

10分読書で学べる
世界の教えと名言

西沢泰生
著

キャラクター紹介《しょうかい》

アスカ

12歳《さい》。マサルの幼《おさな》なじみでクラスメイト。男《おとこ》まさりで、元気《げんき》な女《おんな》の子《こ》。将来《しょうらい》の夢《ゆめ》は名言《めいげん》アカデミーの先生《せんせい》で、ナナミ先生《せんせい》にあこがれている。名言《めいげん》アカデミーから、『マスターリスト』を渡《わた》されている。

マサル

12歳《さい》。「名言《めいげん》アカデミー（小学部《しょうがくぶ》）」の生徒《せいと》。「名言《めいげん》マスター」を目指《めざ》して勉強中《べんきょうちゅう》。卒業試験《そつぎょうしけん》として、アスカと「マスターの教《おし》え」を集《あつ》める旅《たび》に出《で》ることに。本《ほん》が大好《だいす》き。やさしいけれど少《すこ》し怖《こわ》がり。体育《たいいく》が苦手《にがて》。

メイ

いっしょに旅《たび》をするロボット犬《けん》。校長先生《こうちょうせんせい》とナナミ先生《せんせい》はメイを通《とお》してマサルとアスカを見守《みまも》っている。旅《たび》する2人《り》と先生《せんせい》たちが会話《かいわ》をする通信機《つうしんき》にもなっている。

校長先生《こうちょうせんせい》

「名言《めいげん》アカデミー」の校長先生《こうちょうせんせい》。昔《むかし》は伝説《でんせつ》の「名言《めいげん》グランドマスター」。名言《めいげん》やマスターの教《おし》えの素晴《すば》らしさを子供《こども》たちに知《し》ってもらうために「名言《めいげん》アカデミー」を作《つく》った。

ナナミ先生《せんせい》

マサルとアスカの担任《たんにん》の先生《せんせい》。2人《り》がゲットした「マスターの教《おし》え」について、解説《かいせつ》をしてくれる。

※この本《ほん》に出《で》ている教《おし》えには、読《よ》みやすさを考《かんが》えて、古《ふる》い表現《ひょうげん》を現代《げんだい》の言葉《ことば》に直《なお》したり、外国《がいこく》の言葉《ことば》を意訳《いやく》すなど、原文《げんぶん》を変《か》えているものがあります。
※名言《めいげん》の解釈《かいしゃく》、解説《かいせつ》は、その名言《めいげん》の一般的《いっぱんてき》な解釈《かいしゃく》を参考《さんこう》にした本《ほん》の作者《さくしゃ》の解釈《かいしゃく》です。

目次《もくじ》

キャラクター紹介《しょうかい》 2
マスターたちの教《おし》えを活《い》かそう! 4
マスターの教《おし》えゲットの旅《たび》へ 6
第《だい》1章《しょう》 聖書《せいしょ》・聖典《せいてん》の教《おし》え（ユダヤ教《きょう》・キリスト教《きょう》・イスラム教《きょう》） 17
第《だい》2章《しょう》 仏教《ぶっきょう》の教《おし》え 33
第《だい》3章《しょう》 中国《ちゅうごく》の思想家《しそうか》たちの教《おし》え 57
第《だい》4章《しょう》 哲学者《てつがくしゃ》たちの教《おし》え 79
第《だい》5章《しょう》 その他《た》のマスターの教《おし》え 107
「教《おし》えゲットの旅《たび》」を終《お》えて 123
あとがき 124
さくいん 125
主《おも》な出典《しゅってん》・参考文献《さんこうぶんけん》 127

※本書は2018年発行の『10分で読める 偉人の言葉 教えと名言80』に加筆・修正を行い、書名と装丁を変更して新たに発行したものです。

マスターたちの教《おし》えを活《い》かそう！

皆《みな》さん、毎日楽《まいにちたの》しい学校生活《がっこうせいかつ》を過《す》ごしていますか？

皆《みな》さんのような若《わか》い人《ひと》にとっての毎日《まいにち》はとても大事《だいじ》で、今《いま》、充実《じゅうじつ》の毎日《まいにち》を過《す》ごすことが将来《しょうらい》を切《き》り開《ひら》くと言《い》ってもいいくらいなのじゃから、くれぐれも大切《たいせつ》に生《い》きてほしい。

ところが、その大切《たいせつ》さを見失《みうしな》ってしまうことがよくあるから、これが実《じつ》に厄介《やっかい》。そこで心強《こころづよ》い味方《みかた》になってくれるのが、偉大《いだい》な宗教家《しゅうきょうか》や哲学者《てつがくしゃ》の教《おし》えじゃ。実《じつ》は校長《こうちょう》の私《わたし》もずいぶん励《はげ》ましてもらったものじゃった。

もっとも、宗教《しゅうきょう》といわれてもピンとこない人《ひと》がきっと多《おお》いことじゃろう。ましてや哲学《てつがく》なんて難解《なんかい》と拒否反応《きょひはんのう》を示《しめ》す大人《おとな》も少《すく》なくないのじゃから、君《きみ》たちにとってハードルが高《たか》く見《み》えても仕方《しかた》ないかもしれないの〜。

しかし、有史以来《ゆうしいらい》、どれだけ多《おお》くの人《ひと》が宗教《しゅうきょう》の言葉《ことば》に救《すく》われ、哲学《てつがく》に行《い》く道《みち》を教《おし》えられたことじゃろう。

宗教《しゅうきょう》も哲学《てつがく》も難《むずか》しくてとっつきにくいというイメージがあるかもしれんが、実《じつ》はひもといてみれば、とてもわかりやすいことに気《き》づくはず。

だからこそ、今日《きょう》までどちらも大事《だいじ》にされてきたのじゃ。

さぁ、キミの背中《せなか》を押《お》してくれる名言《めいげん》との出会《であ》いの旅《たび》に出発進行《しゅっぱつしんこう》！

マスターの教《おし》えゲットの旅《たび》へ

こんにちは。ボク、マサル。名言《めいげん》アカデミーの卒業課題《そつぎょうかだい》として、タイムマシンに乗《の》って、マスターたちの教《おし》え集《あつ》めの旅《たび》に出《で》ます。マスターの教《おし》えを80以上《いじょう》集《あつ》めないと、小学部《しょうがくぶ》を卒業《そつぎょう》できないんだ。タイムマシンでの旅《たび》は少《すこ》し不安《ふあん》だけど、アスカちゃんがいるから大丈夫《だいじょうぶ》かな。
ちょっと〜、いくら幼《おさな》なじみでも、もうアスカちゃんて呼《よ》ばないでくれる！旅《たび》では、ビシビシいくから覚悟《かくご》してね！「教《おし》え」をもらわなくちゃいけないマスターたちのリストを持《も》ってと……。ナナミせんせ〜！　いってきま〜す！
ワンワン！

序章《じょしょう》

世界《せかい》の宗教《しゅうきょう》・思想《しそう》・哲学《てつがく》

仏教《ぶっきょう》

仏教《ぶっきょう》はインド生《う》まれのブッダ（お釈迦《しゃか》さま）の教《おし》えを信仰《しんこう》する世界宗教《せかいしゅうきょう》の一《ひと》つ。お寺《てら》はブッダの教《おし》えを学《まな》ぶために、きびしい修行《しゅぎょう》をする僧侶《そうりょ》がいるところじゃ。

仏教《ぶっきょう》を大《おお》きく二《ふた》つに分《わ》けると日本《にほん》や中国《ちゅうごく》で信仰《しんこう》されている大乗《だいじょう》仏教《ぶっきょう》、そして、ちょっとルールがきびしいタイやスリランカなどの上座部《じょうざぶ》仏教《ぶっきょう》がある。インド生《う》まれの仏教《ぶっきょう》じゃが、インドより東南《とうなん》アジアや東《ひがし》アジアの国々《くにぐに》で盛《さか》んに信仰《しんこう》されているのじゃ。

お経《きょう》を唱《とな》えるのも修行《しゅぎょう》の一《ひと》つなんだね
お坊《ぼう》さんになるにはきびしい修行《しゅぎょう》が必要《ひつよう》なのよ

キリスト教《きょう》

キリスト教《きょう》はヨーロッパの国々《くにぐに》やアメリカ大陸《たいりく》、そしてロシアで信仰《しんこう》されていて、信徒《しんと》は20億人《おくにん》以上《いじょう》いるといわれているから、世界最大規模《せかいさいだいきぼ》の宗教《しゅうきょう》ということになる。

カトリックやプロテスタント、東方正教会《とうほうせいきょうかい》など、いろいろな宗派《しゅうは》があるが、どれもイエス・キリストを神《かみ》の子《こ》として信仰《しんこう》し、経典《きょうてん》が聖書《せいしょ》で、教会《きょうかい》があるのが共通点《きょうつうてん》じゃ。

イスラム教《きょう》

イスラム教《きょう》は西暦《せいれき》600年頃《ねんごろ》、今《いま》のサウジアラビアのメッカの洞窟《どうくつ》で瞑想《めいそう》していたマホメットによって広《ひろ》められ、中東《ちゅうとう》、アジア、北《きた》アフリカを中心《ちゅうしん》に16億人《おくにん》の信徒《しんと》がおる。

　信仰《しんこう》の対象《たいしょう》はアッラーという神様《かみさま》で、きびしい戒律《かいりつ》があることで知《し》られ、女性《じょせい》は顔《かお》や髪《かみ》をビジャブというスカーフなどで覆《おお》い隠《かく》し、豚肉《ぶたにく》やお酒《さけ》を口《くち》にしてはいけないというルールを守《まも》らなくてはならないのじゃ。

日中《にっちゅう》、食《た》べ物《もの》や水《みず》を飲《の》んではいけないという断食《だんじき》もあるんだよね
とてもカラフルなビジャブもあるのよ

ユダヤ教《きょう》

ユダヤ教《きょう》も聖典《せいてん》は
旧約聖書《きゅうやくせいしょ》のひとつと
いわれるのね

ヤハウェを神様《かみさま》としているユダヤ教《きょう》は、キリスト教《きょう》やイスラム教《きょう》の基《もと》となる中近東誕生《ちゅうきんとうたんじょう》の宗教《しゅうきょう》じゃ。安息日《あんそくび》という労働《ろうどう》してはいけない日《ひ》が厳《きび》しく守《まも》られたり、細《こま》かな食事《しょくじ》の規定《きてい》もあるんじゃ。

ヒンドゥ教《きょう》

ヒンドゥ教《きょう》は
インドの民族宗教《みんぞくしゅうきょう》の
一《ひと》つなんだ

ヒンドゥ教《きょう》は主《おも》にインドで信仰《しんこう》され、インド人《じん》の約《やく》8割《わり》が信者《しんじゃ》と言《い》われておる。カーストというきびしい身分制度《みぶんせいど》があり、職業《しょくぎょう》や結婚相手《けっこんあいて》も制限《せいげん》されていたが、今《いま》では憲法《けんぽう》で身分差別《みぶんさべつ》は禁《きん》じられているから、少《すこ》しずつじゃが差別《さべつ》はなくなってきているそうじゃ。

中国《ちゅうごく》の諸子百家《しょしひゃっか》

中国《ちゅうごく》には、孔子《こうし》が開《ひら》いた「儒教《じゅきょう》」をはじめ、老子《ろうし》や荘子《そうし》など、たくさんの思想家《しそうか》たちが教《おし》えをといてきた。それらのことを「諸子百家《しょしひゃっか》」と呼《よ》んでおるんじゃ。

特《とく》に儒教《じゅきょう》は今でも、中国《ちゅうごく》はもちろん、韓国《かんこく》や日本《にほん》の文化《ぶんか》に大《おお》きな影響《えいきょう》を与《あた》えている。

中国《ちゅうごく》には たくさんの思想家《しそうか》が いたんだね
「百家《ひゃっか》」は 数《かず》が多《おお》いという 意味《いみ》ね

神道《しんとう》

「神道《しんとう》」は、山《やま》や川《かわ》、田《た》んぼなど、自然《しぜん》そのものや道具《どうぐ》、建物《たてもの》にも神様《かみさま》がいるという考《かんが》えで、日本《にほん》に古《ふる》くからある宗教《しゅうきょう》じゃ。

ちなみに、ハワイの神様《かみさま》も日本《にほん》の神様《かみさま》とよく似《に》ていて、多《おお》くの神話《しんわ》があって自然《しぜん》をとても大事《だいじ》にしておる。

これらの他《ほか》にも、世界《せかい》の国々《くにぐに》にはその土地《とち》で育《はぐく》まれた独特《どくとく》の民族《みんぞく》宗教《しゅうきょう》がたくさんある。

山《やま》や川《かわ》、海《うみ》にも神様《かみさま》がいるんだよね
世界各地《せかいかくち》にはたくさんの神様《かみさま》のお話《はなし》があるのよ

世界《せかい》には多《おお》くの宗教《しゅうきょう》があります。その中《なか》で三大宗教《さんだいしゅうきょう》と呼ばれているのがキリスト教《きょう》、イスラム教《きょう》、そして仏教《ぶっきょう》です。それらの信者《しんじゃ》は数億《すうおく》人《にん》を超《こ》え、人々《ひとびと》の生活《せいかつ》や思想《しそう》に大《おお》きな影響《えいきょう》を与《あた》えています。

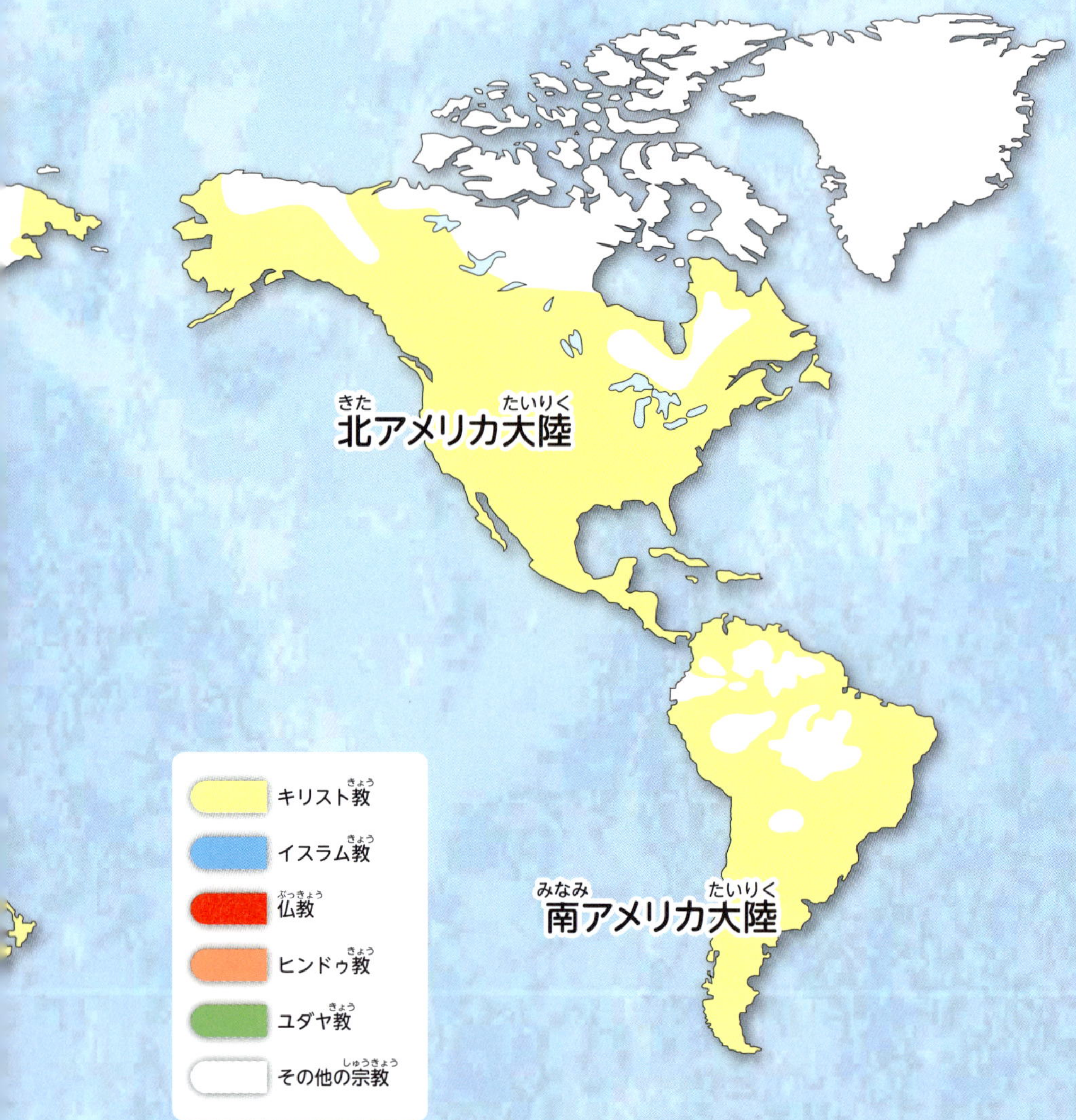

※注意《ちゅうい》　もっとも人数《にんずう》が多《おお》い宗教《しゅうきょう》で色分《いろわ》けしています。

世界《せかい》の宗教《しゅうきょう》地図《ちず》

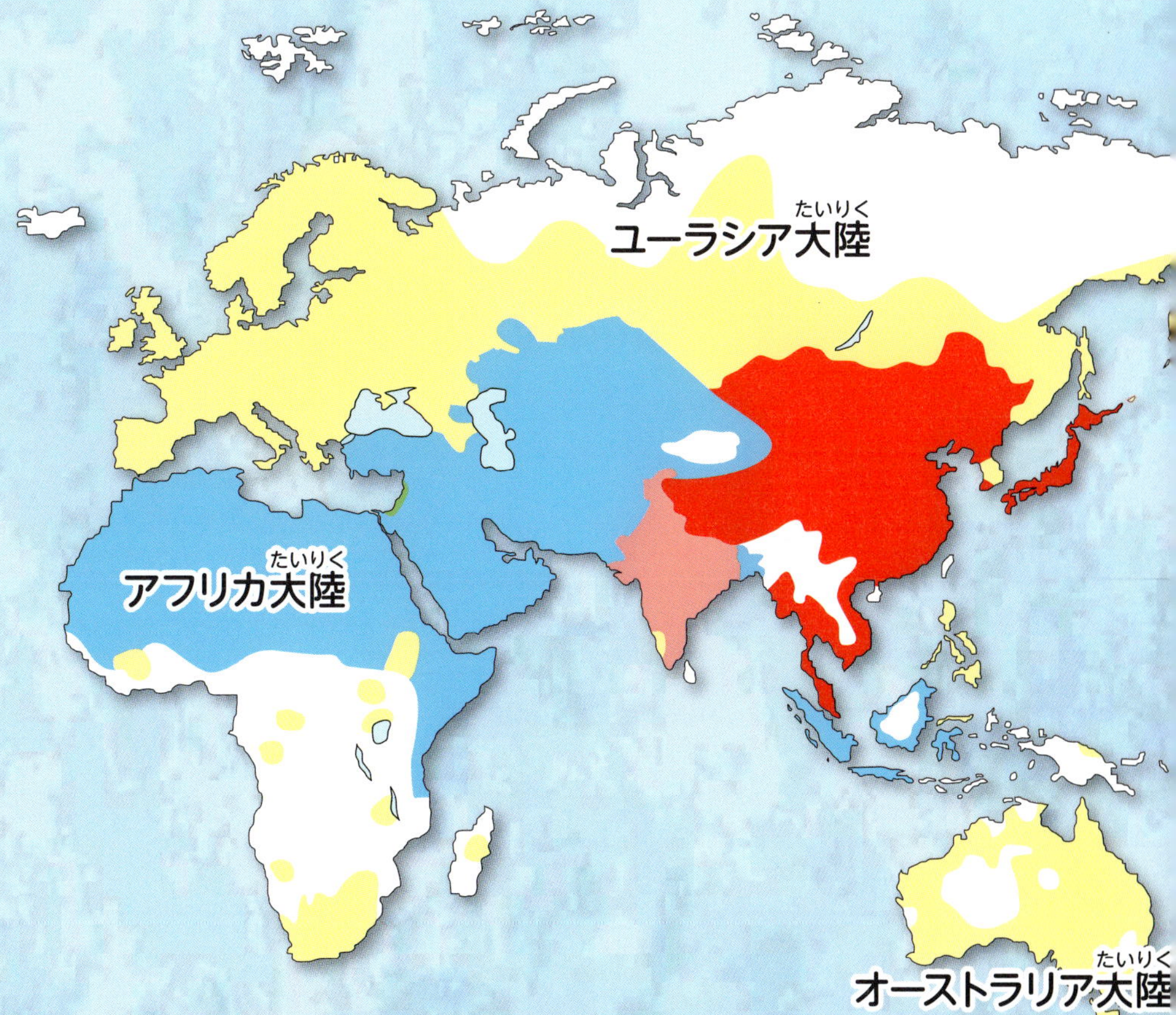

最後《さいご》に「哲学《てつがく》」についても触《ふ》れておこうかの。

哲学《てつがく》

哲学《てつがく》とは、「自分《じぶん》って何《なん》だろう？」、「社会《しゃかい》って何《なん》だろう？」と自分《じぶん》のことや人々《ひとびと》のこと、さらには自然界《しぜんかい》、世界《せかい》のことを深《ふか》く考《かん》えることじゃ。そうやって一《ひと》つの真理《しんり》や道筋《みちすじ》を見《み》つけた人《ひと》のことを、哲学者《てつがくしゃ》と呼《よ》ぶ。哲学者《てつがくしゃ》にとっては、考《かん》えたことが、社会《しゃかい》に役立《やくだ》つとか、役立《やくだ》たないとかは大《おお》きな問題《もんだい》ではなく、いろいろな疑問《ぎもん》について一生懸命《いっしょうけんめい》、考《かん》えるということが重要《じゅうよう》なのじゃ。

第《だい》1章《しょう》

聖書《せいしょ》・聖典《せいてん》の教《おし》え

(ユダヤ教《きょう》・キリスト教《きょう》・イスラム教《きょう》)

1 モーセの教《おし》え

人《ひと》についてのウソを言《い》ってはいけない。

【原文《げんぶん》】隣人《りんじん》に関《かん》して偽証《ぎしょう》してはならない。

ここで言《い》う「ウソ」というのは、意識的《いしきてき》に相手《あいて》をダマそうとする「ウソ」だけでなく、「無責任《むせきにん》なウワサ話《ばなし》」なども含《ふく》まれていると思《おも》います。たとえば、「ガラスを割《わ》ったのは○○君《くん》らしいよ」とか、「○○さんの成績《せいせき》がいいのは、先生《せんせい》にエコヒイキされているからなんだって」なんて、そんな、いい加減《かげん》なウワサを広《ひろ》めてしまうのも「ウソ」を言《い》っているのと同《おな》じように悪《わる》いことよね。

【モーセ】モーセはユダヤ教《きょう》、キリスト教《きょう》、イスラム教《きょう》のすべてで重要《じゅうよう》な預言者《よげんしゃ》の一人《ひとり》とされている。シナイ山《さん》で神《かみ》から「十戒《じっかい》」という掟《おきて》を示《しめ》され、これが刻《きざ》まれた石板《せきばん》を手《て》に約束《やくそく》の地《ち》をめざしました。

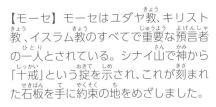

覚《おぼ》えておこう

「ウソ」は身《み》をほろぼすと心得《こころえ》よ！

モーセのエピソード

モーセといえば、エジプトで虐《しいた》げられていたユダヤ人《じん》を率《ひき》いて、エジプトを脱出《だっしゅつ》する話《はなし》が旧約聖書《きゅうやくせいしょ》の中《なか》に出《で》てきます。その中《なか》で、追《お》ってきたエジプト軍《ぐん》から逃《のが》れるため、モーセは魔法《まほう》の杖《つえ》を振《ふ》って目《め》の前《まえ》の海《うみ》（紅海《こうかい》）を真《ま》っ二《ぷた》つに割《わ》り、向《む》こう岸《ぎし》まで道《みち》をつくる場面《ばめん》があります。信《しん》じがたいシーンですが、最近《さいきん》の研究《けんきゅう》では、モーセが割《わ》ったのは紅海《こうかい》ではなく実《じつ》は湖《みずうみ》で、それならば、「実際《じっさい》に強風《きょうふう》によって湖《みずうみ》の水《みず》が追《お》いやられて道《みち》ができることがある」ということが証明《しょうめい》されています。映画《えいが》でも有名《ゆうめい》な海《うみ》を割《わ》るシーンは、事実《じじつ》だったかもしれないのです。

ウワサ話《ばなし》ばかりする人《ひと》っているよね
そういう人《ひと》は、結局《けっきょく》、信用《しんよう》されなくなるわ

ソロモン王《おう》の教《おし》え1

熱心《ねっしん》だけで知識《ちしき》のないのはよくない。急《いそ》ぎ足《あし》の者《もの》はつまずく。

【出典《しゅってん》】旧約聖書《きゅうやくせいしょ》『箴言《しんげん》』

【ソロモン】(前《ぜん》1011年頃《ねんごろ》～前《ぜん》931年頃《ねんごろ》)古代《こだい》イスラエルの第三代王《だいさんだいおう》。神《かみ》から与《あた》えられたという知恵《ちえ》を活《い》かし外国《がいこく》との交易《こうえき》を通《とお》して豊《ゆた》かな国《くに》をつくった。

いくら熱心《ねっしん》でも、勢《いきお》いだけで突《つ》っ走《ぱし》ると失敗《しっぱい》してしまうということです。プラモデルを作《つく》るとき、あまり考《かんが》えずにどんどん作《つく》っていくと、くっつける順番《じゅんばん》を間違《まちが》えたりして、取《と》り返《かえ》しのつかないことになりかねません。熱心《ねっしん》さは大切《たいせつ》ですが、ちゃんと設計図《せっけいず》を見《み》ながら作《つく》っていくという知恵《ちえ》が必要《ひつよう》よね。ソロモンは旧約聖書《きゅうやくせいしょ》に出《で》てくる王様《おうさま》で、「ソロモンの知恵《ちえ》」という表現《ひょうげん》があるくらいの知恵者《ちえしゃ》なのよ。

覚《おぼ》えておこう

知恵《ちえ》と知識《ちしき》のない暴走《ぼうそう》は、失敗《しっぱい》に行《い》きつく。

3 ソロモン王の教《おし》え2

自分《じぶん》に関係《かんけい》のない争《あらそ》いに干渉《かんしょう》する者《もの》は、通《とお》りすがりの犬《いぬ》の耳《みみ》をつかむ者《もの》のようだ。

【出典《しゅってん》】旧約聖書《きゅうやくせいしょ》『箴言《しんげん》』

自分《じぶん》と関係《かんけい》がないのに、もめごとを見《み》ると、「何《なに》？　どうしたの？」なんて、すぐに首《くび》を突《つ》っ込《こ》む人《ひと》、いるわよね。そういう人《ひと》は、トラブルに巻《ま》き込《こ》まれてしまったり、「余計《よけい》な口出《くちだ》しするな」なんて言《い》われたりします。困《こま》っている人《ひと》がいて、相談《そうだん》されたのなら、できる範囲《はんい》で助《たす》けてあげるのはよいですが、関係《かんけい》のないトラブルに自分《じぶん》からかかわるのは、あまり賢《かしこ》い人《ひと》がすることではないと思《おも》うわ。

覚《おぼ》えておこう

関係《かんけい》のない争《あらそ》いごとには、なるべくかかわらない。

4 イエス・キリストの教《おし》え1

人《ひと》にしてもらいたいと思《おも》うことを、人《ひと》にもしなさい。

【聖書《せいしょ》】ルカによる福音書《ふくいんしょ》6章《しょう》

たとえば、重《おも》い荷物《にもつ》をたくさん持《も》っているときは「一《ひと》つくらい誰《だれ》かに持《も》ってもらいたい〜」って思《おも》うわよね。だから、もし、友《とも》だちがたくさん荷物《にもつ》を持《も》っているのを見《み》たら、「たいへんだね」って言《い》って、一《ひと》つ持《も》ってあげましょう。そうやって、「自分《じぶん》が誰《だれ》かにしてもらいたいな」って思《おも》うことを、人《ひと》にしてあげるようにしていると、困《こま》ったときに人《ひと》から助《たす》けてもらえるようになるわよ。

覚《おぼ》えておこう

世《よ》の中《なか》は、持《も》ちつ持《も》たれつ！

【キリスト】(前《ぜん》4年頃《ねんごろ》〜30年頃《ねんごろ》)キリスト教《きょう》の始祖《しそ》。父《ちち》はヨセフ、母《はは》はマリア。各地《かくち》を巡《めぐ》って神《かみ》の教《おし》えを説《と》いた。彼《かれ》の言葉《ことば》が、キリスト教《きょう》として今《いま》に伝《つた》えられている。

5 イエス・キリストの教え《おし》2

隣人《りんじん》を自分《じぶん》のように愛《あい》しなさい。

【新約聖書《しんやくせいしょ》】マタイによる福音書《ふくいんしょ》22章《しょう》・旧約聖書《きゅうやくせいしょ》　レビ記《き》19章《しょう》

自分《じぶん》を大切《たいせつ》に思《おも》うように、他人《たにん》のことも大切《たいせつ》に思《おも》いなさいということね。「隣人《りんじん》」とは、隣《となり》の席《せき》に座《すわ》っている人《ひと》のことではなくて「自分以外《じぶんいがい》のすべての人《ひと》」ということです。「愛《あい》する」とは、「好《す》きになる」というよりは、「思《おも》いやる」という感《かん》じ。でも、忘《わす》れてはいけないのは、「まずは自分《じぶん》を大切《たいせつ》にする」こと。決《けっ》して、自分《じぶん》を犠牲《ぎせい》にして他人《たにん》のために尽《つ》くせということではないのよ。

覚《おぼ》えておこう

自分《じぶん》を大切《たいせつ》に！　そして他人《たにん》も自分《じぶん》のように大切《たいせつ》に！

6 イエス・キリストの教《おし》え3

求《もと》めなさい。そうすれば与《あた》えられます。

【新約聖書《しんやくせいしょ》】マタイによる福音書《ふくいんしょ》7章《しょう》

この言葉《ことば》のあとには『捜《さが》しなさい。そうすれば見《み》つかります。たたきなさい。そうすれば開《ひら》かれます』と続《つづ》きます。都合《つごう》のよい言葉《ことば》に聞《き》こえるかもしれませんが、決《けっ》して「ダダをこねれば手《て》に入《はい》る」という意味《いみ》ではありません。「欲《ほ》しいものがあったら行動《こうどう》しなさい。動《うご》かなければ何《なに》も手《て》に入《はい》りませんよ」と言《い》っているのです。無《な》くしたものは、探《さが》さなければ出《で》て来《こ》ないわよね。

覚《おぼ》えておこう

成功《せいこう》できる人《ひと》は、「行動《こうどう》できる人《ひと》」！

7

著述家《ちょじゅつか》・修道士《しゅうどうし》　グラシアンの教《おし》え

妬《ねた》みによって幸福《こうふく》になる人間《にんげん》はどこにもいない。

【バルタサル・グラシアン】（1601年《ねん》〜1658年《ねん》）スペインの著述家《ちょじゅつか》、修道士《しゅうどうし》。スペイン文学《ぶんがく》の傑作《けっさく》『エル・クリティコン』や、賢《かしこ》く生《い》きるための知恵《ちえ》を示《しめ》した『処世《しょせい》神託《しんたく》』は、世界中《せかいじゅう》で読《よ》まれている。

「○○君《くん》の家《いえ》はお金持《かねも》ちでいいな」とか、「○○さんはいつもテストが100点《てん》でうらやましい」なんて、他人《たにん》のことをうらやんでも、なにもいいことはありません。「妬《ねた》み」は、結局《けっきょく》、自分《じぶん》を不幸《ふこう》にするだけよね。他人《たにん》は他人《たにん》、自分《じぶん》は自分《じぶん》です。別《べつ》の人間《にんげん》なのですから、家庭環境《かていかんきょう》や成績《せいせき》が違《ちが》っていて当《あ》たり前《まえ》です。すべての不幸《ふこう》は、他人《たにん》と自分《じぶん》を比《くら》べることが原因《げんいん》だと思《おも》ってくださいね。

覚《おぼ》えておこう

「妬《ねた》み」は、最低《さいてい》の感情《かんじょう》！

8

マホメット（ムハンマド）の教《おし》え

口《くち》に出《だ》した言葉《ことば》は、ひとり歩《ある》きする。

【原文《げんぶん》】そなたの口《くち》から飛《と》び立《た》った言葉《ことば》は、存分《ぞんぶん》にその役割《やくわり》を果《は》たし、二度《にど》と戻《もど》ってはこぬ。

【マホメット（ムハンマド）】（570年《ねん》～632年《ねん》）預言者《よげんしゃ》でありイスラム教《きょう》の開祖《かいそ》。アッラーの啓示《けいじ》を受《う》け、唯一神《ゆいいつしん》のアッラーに絶対服従《ぜったいふくじゅう》と説《と》いた。

イスラム教《きょう》では、神様《かみさま》などを形《かたち》にしてはいけないので、イラストもないのだワン

人前《ひとまえ》で口《くち》にした言葉《ことば》は、あなたの意思《いし》とは関係《かんけい》なく、広《ひろ》まってしまうことがあります。たとえば「ここだけの話《はなし》だけど、○○さんのことがキライ」と言《い》った言葉《ことば》が、いつの間《ま》にか○○さん本人《ほんにん》に伝《つた》わってしまうこともあるのです。よく、政治家《せいじか》が失言《しつげん》をして辞任《じにん》していますよね。1度発《どはっ》した言葉《ことば》は取《と》り消《け》すのはたいへんなので、しゃべってよい話《はなし》かどうか、考《かんが》えてからしゃべるようにしましょう。

マホメットのエピソード

イスラム教《きょう》をおこす前《まえ》のマホメットは、とても頭《あたま》のよい商人《しょうにん》として、人々《ひとびと》の信頼《しんらい》を集《あつ》めて成功《せいこう》していました。

あるとき、神殿《しんでん》をつくる石《いし》がひとつ転《ころ》がり落《お》ちてしまい、「誰《だれ》がその石《いし》を神殿《しんでん》に戻《もど》すか？」で、４人《にん》の部族《ぶぞく》の長《ちょう》が争《あらそ》いになりました。神聖《しんせい》な神殿《しんでん》に石《いし》を戻《もど》すのは、とても名誉《めいよ》なことだったからです。争《あらそ》う４人《にん》に対《たい》して、マホメットはこう言《い》います。「では、じゅうたんの真《ま》ん中《なか》に石《いし》を置《お》いて、じゅうたんの４つの角《かど》を一人《ひとり》ずつが持《も》って運《はこ》び、全員《ぜんいん》で石《いし》を神殿《しんでん》に戻《もど》してはどうですか？」。マホメットのこの提案《ていあん》のおかげで、話《はなし》は丸《まる》くおさまったのです。

覚《おぼ》えておこう

言《い》ってしまったことを後悔《こうかい》するような話《はなし》は口《くち》にしない！

マホメットは
トンチの才能《さいのう》も
あったんだね
ネコが好《す》き
という優《やさ》しい面《めん》も
あったそうよ

9

神学者《しんがくしゃ》・聖職者《せいしょくしゃ》 ルターの教《おし》え

たとえ、明日《あした》、世界《せかい》が滅《ほろ》びるとしても、私《わたし》は、今日《きょう》、リンゴの木《き》を植《う》える。

とても力強《ちからづよ》い言葉《ことば》よね。「どんなに絶望的《ぜつぼうてき》な状況《じょうきょう》であっても、希望《きぼう》を捨《す》てずに、今《いま》やれる正《ただ》しいことをやるべき」という意味《いみ》かしら。ルターさんは、当時《とうじ》、権力《けんりょく》を持《も》っていた教会《きょうかい》に対《たい》して、命《いのち》がけで抗議文《こうぎぶん》を発表《はっぴょう》して宗教改革《しゅうきょうかいかく》のもとをつくった人《ひと》です。そう考《かんが》えると、この言葉《ことば》は「たとえ、明日《あす》、殺《ころ》されたとしても、私《わたし》は正《ただ》しいことを次《つぎ》の世代《せだい》に伝《つた》えたい」という決意《けつい》の言葉《ことば》とも取《と》れるわね。

【マルティン・ルター】(1483年《ねん》～1546年《ねん》)ドイツの神学者《しんがくしゃ》、聖職者《せいしょくしゃ》。カトリック教会《きょうかい》を批判《ひはん》してキリスト教《きょう》を変《か》えようとした、宗教改革《しゅうきょうかいかく》の中心人物《ちゅうしんじんぶつ》。この改革《かいかく》でプロテスタント教会《きょうかい》が生《う》まれた。

ルターのエピソード

ルターはとても面倒見《めんどうみ》が良《よ》い人《ひと》でした。そして、それまでの習慣《しゅうかん》にとらわれず、神《かみ》に仕《つか》える身《み》である僧侶《そうりょ》も、結婚《けっこん》したほうがよいと考《かんが》えていました。

あるときのこと。ルターは、修道女《しゅうどうじょ》をやめたいという女性《じょせい》たちから相談《そうだん》を受《う》けて、夜中《よなか》に彼女《かのじょ》たちを樽《たる》に隠《かく》して馬車《ばしゃ》で運《はこ》び出《だ》し、修道院《しゅうどういん》から脱出《だっしゅつ》させたことがあります。その後《ご》、ルターは彼女《かのじょ》たちの結婚相手《けっこんあいて》を探《さが》して、次々《つぎつぎ》と結婚《けっこん》させましたが、どうしても結婚相手《けっこんあいて》が見《み》つからなかったカタリーナという女性《じょせい》とは、なんと自分《じぶん》が結婚《けっこん》して夫婦《ふうふ》になったといいますから驚《おどろ》きです。

覚《おぼ》えておこう

一見《いっけん》、希望《きぼう》がない状況《じょうきょう》でも、自分《じぶん》にやれることをやる。

なんだか勇気《ゆうき》が湧《わ》いてくる言葉《ことば》だね
自分《じぶん》が信《しん》じていることを貫《つらぬ》くのが大切《たいせつ》なのね

10

修道女《しゅうどうじょ》 マザー・テレサの教《おし》え1

私《わたし》たちは、成功《せいこう》するためにここにいるのではありません。誠実《せいじつ》であるためにここにいるのです。

マザー・テレサは、人生《じんせい》の目的《もくてき》は「成功《せいこう》してお金持《かねも》ちになること」ではなく、「多《おお》くの人《ひと》を救《すく》うこと」だと考《かんが》えて、教師《きょうし》の職《しょく》を捨《す》て、貧《まず》しい人《ひと》たちの世話《せわ》をする人生《じんせい》を選《えら》びました。もちろん、「あなたも、マザー・テレサのような人生《じんせい》を歩《あゆ》め」とは言《い》いませんが、実《じつ》は「自分《じぶん》が贅沢《ぜいたく》をしたくて頑張《がんば》る」という人《ひと》は成功《せいこう》しません。成功《せいこう》するのは「たくさんの人《ひと》たちを喜《よろこ》ばせよう」って考《かんが》える人《ひと》なのです。

覚《おぼ》えておこう

100万人《まんにん》を喜《よろこ》ばせられれば、大成功者《だいせいこうしゃ》！

【マザー・テレサ】(1910年《ねん》～1997年《ねん》)
カトリックの修道女《しゅうどうじょ》。テレサが始《はじ》めた貧《まず》しい人《ひと》を救《すく》う活動《かつどう》は後進《こうしん》の修道女《しゅうどうじょ》によって世界中《せかいじゅう》に広《ひろ》められている。1979年《ねん》、ノーベル平和賞《へいわしょう》受賞《じゅしょう》。

11 修道女《しゅうどうじょ》 マザー・テレサの教《おし》え2

優《やさ》しい言葉《ことば》は、たとえ短《みじか》く簡単《かんたん》な言葉《ことば》でも、いつまでもいつまでも心《こころ》にこだまします。

苦《くる》しいときに「大丈夫《だいじょうぶ》？」、くじけそうなときに「頑張《がんば》って」って声《こえ》をかけてもらって元気《げんき》が出《で》たこと、ありませんか？　人《ひと》というものは、たったひと言《こと》の優《やさ》しい言葉《ことば》で、力《ちから》がみなぎることがあるものです。ですから、ツラそうにしている人《ひと》がいたら、優《やさ》しい言葉《ことば》をかけてあげてください。もし、あなたがかけたひと言《こと》で、言《い》われた人《ひと》が元気《げんき》になったら、とても素晴《すば》らしいことだと思いませんか？

覚《おぼ》えておこう

優《やさ》しい言葉《ことば》は「言霊《ことだま》」になって相手《あいて》の心《こころ》に響《ひび》く。

12

牧師《ぼくし》・指導者《しどうしゃ》

キング牧師《ぼくし》の教《おし》え

愛《あい》だけが、敵《てき》を友人《ゆうじん》に変《か》えられる唯一《ゆいいつ》の力《ちから》だ。

【マーティン・ルーサー・キング】(1929年《ねん》～1968年《ねん》)アメリカ合衆国《がっしゅうこく》の黒人《こくじん》運動指導者《うんどうしどうしゃ》。非暴力主義《ひぼうりょくしゅぎ》を掲《かか》げ、アフリカ系《けい》アメリカ人《じん》の公民権運動《こうみんけんうんどう》を指導《しどう》。1964年《ねん》ノーベル平和賞《へいわしょう》受賞《じゅしょう》。

よく漫画《まんが》の主人公《しゅじんこう》が、敵《てき》に情《なさ》けをかけて仲間《なかま》にするという展開《てんかい》があるわよね。現実《げんじつ》の世界《せかい》も同《おな》じです。相手《あいて》を力《ちから》でねじふせても恨《うら》まれるだけ。それより、やさしく助《たす》けてあげると、仲《なか》が悪《わる》かった人《ひと》と親友《しんゆう》になれることがあります。嫌《きら》いな相手《あいて》は、何《なに》を言《い》ってもカチンとくるものですが、ダマされたと思《おも》って、大《おお》きな心《こころ》で全部《ぜんぶ》を受《う》けいれると、いつの間《ま》にか、相手《あいて》はあなたに好感《こうかん》を持《も》つようになるわよ。

覚《おぼ》えておこう

優《やさ》しい言葉《ことば》が、敵《てき》を仲間《なかま》に変《か》える。

第《だい》2章《しょう》

仏教《ぶっきょう》の教《おし》え

13

ブッダの教《おし》え1

人《ひと》は「私《わたし》はこういう人間《にんげん》だ」と自分《じぶん》で考《かんが》えるその通《とお》りのものになる。それと異《こと》なったものになることはない。

あなたは「考《かんが》えた通《とお》りの人《ひと》になれるわけがない」って思《おも》ったかしら。でも、そう思《おも》ったあなたは、結局《けっきょく》「なれっこない」って信《しん》じてしまっているからなれないの。イチローも子《こ》どものころから、一流《いちりゅう》のプロ野球《やきゅう》選手《せんしゅ》になると信《しん》じていたからなれたのね。先生《せんせい》は、正直《しょうじき》、努力《どりょく》しても夢《ゆめ》がかなうとは限《かぎ》らないと思《おも》います。でも、自分《じぶん》の夢《ゆめ》を信《しん》じていない人《ひと》は、100%夢《ゆめ》がかなわないのはたしかね。

【ブッダ(釈迦《しゃか》)】(前《ぜん》463年《ねん》〜前《ぜん》383年《ねん》頃《ごろ》?)仏教《ぶっきょう》の開祖《かいそ》で、本名《ほんみょう》はゴータマ・シッダッタ。29歳《さい》で出家《しゅっけ》、35歳《さい》で菩提《ぼだい》樹《じゅ》の下《した》で悟《さと》りを開《ひら》き、諸国《しょこく》を巡《めぐ》って仏教《ぶっきょう》を伝《つた》えたといわれている。

覚《おぼ》えておこう

夢《ゆめ》を信《しん》じることが、夢《ゆめ》をかなえる第《だい》一《いっ》歩《ぽ》！

ブッダのエピソード

35歳《さい》のときに悟《さと》りを開《ひら》いたブッダは、亡《な》くなるまで45年間《ねんかん》も仏《ほとけ》の教《おし》えを広《ひろ》める旅《たび》を続《つづ》けました。あるとき、説教《せっきょう》に感動《かんどう》した人《ひと》から「素晴《すば》らしい教《おし》えなのですから、格調高《かくちょうたか》いヴェーダ語《ご》で話《はな》してはいかがですか？」と言《い》われたブッダは、「そんなことをしたら、大衆《たいしゅう》が私《わたし》の話《はなし》を理解《りかい》できなくなってしまう」と、たいそう怒《おこ》ったそうです。

当時《とうじ》のインドでは、ヴェーダ語《ご》はごく一部《いちぶ》の階級《かいきゅう》の人《ひと》にしか理解《りかい》できない難《むずか》しい言葉《ことば》だったのです。ブッダは、あくまでも、一般《いっぱん》の庶民《しょみん》たちを苦《くる》しみから救《すく》うために、仏《ほとけ》の教《おし》えを説《と》いてまわっていたのです。

アスカちゃんは、将来《しょうらい》の夢《ゆめ》を信《しん》じているね
そう、絶対《ぜったい》ナナミ先生《せんせい》みたいな先生《せんせい》になる！

14 ブッダの教え《おし》2

愚《おろ》かな人《ひと》は、常《つね》に名誉《めいよ》と利益《りえき》に苦《くる》しむ。上席《じょうせき》を得《え》たい、権利《けんり》を得《え》たい、利益《りえき》を得《え》たいと、常《つね》にこの欲《よく》のために苦《くる》しむ。

「偉《えら》い人《ひと》になりたい」「お金持《かねも》ちになりたい」などと考《かんが》えるのは、決《けっ》して悪《わる》いことではありません。そう考《かんが》えて「頑張《がんば》るための目標《もくひょう》」にするのならよいと思《おも》います。ただし、「権力《けんりょく》」「出世《しゅっせ》」「お金《かね》」が欲《ほ》しいという思《おも》いに支配《しはい》されて、そればかり考《かんが》えていると、心《こころ》が満《み》たされなくなります。たとえば「権力欲《けんりょくよく》」が強《つよ》すぎると、王様《おうさま》のようにすべてが自由《じゆう》にならないと満足《まんぞく》できなくなってしまうわよね。

覚《おぼ》えておこう

名誉《めいよ》やお金《かね》を「悩《なや》みのタネ」にしない。

15 ブッダの教《おし》え3

黙《だま》っていても批判《ひはん》され、しゃべりすぎても批判《ひはん》され、少《すこ》ししかしゃべらなくても批判《ひはん》される。この世《よ》に批判《ひはん》されない者《もの》はない。

タレントの好感度《こうかんど》ランキングで、「嫌《きら》いなタレント」の上位《じょうい》になったことに悩《なや》んでいたあるタレントに、先輩《せんぱい》のタレントがこんなことを言《い》っていました。「自分《じぶん》を嫌《きら》いな人《ひと》はぜったいにいるから、気《き》にするだけムダだよ」。そう。あなたが悪《わる》いことをして注意《ちゅうい》されたのなら別《べつ》ですが、そうでないなら、他人《たにん》から批判《ひはん》されても悩《なや》むことはありません。気《き》にせず、堂々《どうどう》としていればいいのよ。

覚《おぼ》えておこう

「批判《ひはん》してくる人《ひと》は必《かなら》ずいる」と知《し》る。

16

中国禅宗《ちゅうごくぜんしゅう》

達磨《だるま》の教《おし》え1

気《き》は長《なが》く、心《こころ》は丸《まる》く、腹《はら》を立《た》てず、人《ひと》は大《おお》きく、己《おのれ》は小《ちい》さく。

【達磨《だるま》】(483年《ねん》～540年《ねん》)インドの僧侶《そうりょ》、中国禅宗《ちゅうごくぜんしゅう》の開祖《かいそ》。インドの王子《おうじ》として生《う》まれて仏教《ぶっきょう》を学《まな》び、中国《ちゅうごく》へ渡《わた》った。洞窟《どうくつ》の中《なか》で9年間坐禅《ねんかんざぜん》を続《つづ》けたといわれている。

これは、達磨《だるま》さんが理想《りそう》とした人《ひと》の在《あ》り方《かた》です。せかせかとせずに気長《きなが》に構《かま》え、人当《ひとあ》たりをよくし、怒《おこ》らず、他人《たにん》を立《た》てて、自分《じぶん》は控《ひか》えめにする。なかなか難《むずか》しいと思《おも》いますが、たしかに、こうやって生《い》きることができたら、心穏《こころおだ》やかに過《す》ごせそうね。ちなみに、日本《にほん》にある「ダルマ」のおもちゃは、この達磨《だるま》さんが禅僧《ぜんそう》の赤《あか》い衣《ころも》を着《き》て、坐禅《ざぜん》を組《く》んでいる姿《すがた》をあらわしたものなのよ。

覚《おぼ》えておこう

イライラ、トゲトゲ、プンプンしない。

17

中国禅宗《ちゅうごくぜんしゅう》 達磨《だるま》の教《おし》え2

すべての人《ひと》が、進《すす》むべき道《みち》を知《し》っている。しかし、わずかな人《ひと》だけが、その道《みち》を歩《ある》く。

努力《どりょく》し続《つづ》けたり、一生懸命《いっしょうけんめい》に勉強《べんきょう》して、学《まな》んだことを活《い》かしたり、気《き》おくれせずに挑戦《ちょうせん》したり……。「やれば成功《せいこう》すること」は、誰《だれ》でもわかっています。でも、実際《じっさい》にやる人《ひと》はすごく少《すく》ない。ライバルが少《すく》ないからこそ、実際《じっさい》に「やる人《ひと》」は成功《せいこう》できるのね。とはいえ、わかっていても、なかなかできないのが人間《にんげん》です。達磨《だるま》さんのこの言葉《ことば》、耳《みみ》にイタいと思《おも》う人《ひと》、結構《けっこう》、いるのではないかしら。

ダルマに目《め》を入《い》れる風習《ふうしゅう》もあるんだワン

覚《おぼ》えておこう

「理想《りそう》の道《みち》」を、実際《じっさい》に歩《ある》き続《つづ》ける人《ひと》は、とても少《すく》ない。

18

真言宗《しんごんしゅう》 空海《くうかい》の教《おし》え1

心《こころ》を楽《らく》にする秘訣《ひけつ》は、自分《じぶん》の弱《よわ》みをさらけ出《だ》すことである。

不安《ふあん》なときや緊張《きんちょう》しているときは、まわりの人《ひと》に「ドキドキするね」なんて、自分《じぶん》の気持《きも》ちをかくさずに言《い》うとリラックスできます。そうやって、「正直《しょうじき》な自分《じぶん》」をさらけ出《だ》すと、あなたのその言葉《ことば》を聞《き》いた友《とも》だちも「やっぱり？　ちょっと不安《ふあん》だよね」って、同意《どうい》してくれると思《おも》います。

いつも強《つよ》がっている人《ひと》より、自分《じぶん》の弱《よわ》みを素直《すなお》に話《はな》してくれる人《ひと》とは、友《とも》だちになりやすいわよね。

【空海《くうかい》】(774年《ねん》～835年《ねん》)香川県出身《かがわけんしゅっしん》の平安時代《へいあんじだい》の僧《そう》。弘法大師《こうぼうだいし》とも呼《よ》ばれる真言宗《しんごんしゅう》の開祖《かいそ》。中国《ちゅうごく》に渡《わた》って真言密教《しんごんみっきょう》を学《まな》び、日本《にほん》に持《も》ち帰《かえ》った。

空海《くうかい》のエピソード

空海《くうかい》は、嵯峨天皇《さがてんのう》、橘逸勢《たちばなのはやなり》とともに、「三筆《さんぴつ》」と呼《よ》ばれるほど字《じ》がうまい人《ひと》でした。「弘法《こうぼう》にも筆《ふで》のあやまり」ということわざは、「弘法《こうぼう》（空海《くうかい》のこと）のような名人《めいじん》も、ときには失敗《しっぱい》する」という意味《いみ》です。

この言葉《ことば》のもとになったのは、こんな話《はなし》です。「応天門《おうてんもん》」という門《もん》の上《うえ》に取《と》り付《つ》ける額《がく》の「応《おう》」という字《じ》の点《てん》を一《ひと》つ書《か》き忘《わす》れてしまった空海《くうかい》さん。なんと、高《たか》いところにある額《がく》に向《む》かって筆《ふで》を投《な》げて、見事《みごと》に点《てん》を書《か》き加《くわ》えたのです。名人《めいじん》は、失敗《しっぱい》したときのフォローもカッコいいですね。

覚《おぼ》えておこう

カッコつけずに弱《よわ》みを見《み》せると、気《き》が楽《らく》になる。

たしかに、不安《ふあん》を口《くち》にすると少《すこ》し楽《らく》になるね
マサルは、ちょっと口《くち》に出《だ》しすぎだけどね

19

真言宗《しんごんしゅう》 空海《くうかい》の教《おし》え2

自分《じぶん》に適《てき》したことに能力《のうりょく》を使《つか》えば、物事《ものごと》はうまくいく。

得意《とくい》なことって、他《ほか》の人《ひと》が苦労《くろう》することでも簡単《かんたん》にできてしまいます。作文《さくぶん》が得意《とくい》な人《ひと》は、読書感想文《どくしょかんそうぶん》をすぐに書《か》けてしまうし、絵《え》が得意《とくい》な人《ひと》は何枚《なんまい》もの絵《え》を簡《かん》単《たん》に仕上《しあ》げてしまうわよね。空海《くうかい》さんのこの言葉《ことば》の続《つづ》きは、「しかし、自分《じぶん》に向《む》いていない物事《ものごと》に、その能力《のうりょく》を使《つか》うなら、労多《ろうおお》く、益《えき》は少《すく》ないだろう」。つまり、やるなら「自分《じぶん》に適《てき》したことに能力《のうりょく》を使《つか》ったほうが絶対《ぜったい》にいい」ということね。

覚《おぼ》えておこう

自分《じぶん》が持《も》っている能力《のうりょく》を活《い》かそう！

20

天台宗《てんだいしゅう》 最澄《さいちょう》の教《おし》え

自分《じぶん》の役割《やくわり》を果《は》たすことが大切《たいせつ》。

【原文《げんぶん》】一隅《いちぐう》を照《て》らす　是《こ》れすなわち国宝《こくほう》なり（『天台法華宗年分学生式《てんだいほっけしゅうねんぶんがくしょうしき》』）

最澄《さいちょう》は、「精一杯《せいいっぱい》に自分《じぶん》の役割《やくわり》を果《は》たす人《ひと》は、国《くに》にとって宝《たから》のようなものだ」と言《い》っています。一人《ひとり》が持《も》っている灯《あか》りでは、隅《すみ》っこしか明《あか》るくできなくても、一人《ひとり》ひとりが、自分《じぶん》の持《も》っている灯《あか》りで、自分《じぶん》たちのいる場所《ばしょ》を照《て》らせば、全体《ぜんたい》が明《あか》るくなりますね。世《よ》の中《なか》はいろいろな役割《やくわり》の人《ひと》たちで成《な》り立《た》っています。合唱会《がっしょうかい》や運動会《うんどうかい》も、クラスの一人《ひとり》ひとりが役割《やくわり》を果《は》たしてこそ優勝《ゆうしょう》できるわよね。

【最澄《さいちょう》】(767年《ねん》～822年《ねん》)日本《にほん》の僧侶《そうりょ》、天台宗《てんだいしゅう》の開祖《かいそ》。12歳《さい》で出家《しゅっけ》をして、19歳《さい》で比叡山《ひえいざん》に登《のぼ》って山林修行《さんりんしゅぎょう》を始《はじ》めた。中国《ちゅうごく》へ渡《わた》って修行《しゅぎょう》して日本《にほん》に戻《もど》り、天台宗《てんだいしゅう》を広《ひろ》めた。

覚《おぼ》えておこう

自分《じぶん》なりに精一杯《せいいっぱい》に光《ひか》り輝《かがや》けば、全体《ぜんたい》がよくなる！

21

浄土宗《じょうどしゅう》

法然《ほうねん》の教《おし》え

無理《むり》して頑張《がんば》るより、ひと休《やす》みしてから、また頑張《がんば》ればいい。

法然《ほうねん》は、自分《じぶん》では厳《きび》しい修行《しゅぎょう》を積《つ》みました。しかし、「仏《ほとけ》は苦《くる》しんでいる人《ひと》を救《すく》うことを願《ねが》っているから、修行《しゅぎょう》をつまなくても、誰《だれ》でも『南無阿弥陀仏《なむあみだぶつ》』と念仏《ねんぶつ》を唱《とな》えれば救《すく》われる」と説《と》いたのです。あるときは、「念仏《ねんぶつ》を唱《とな》えていると眠《ねむ》くなってしまう」と言《い》ってきた人《ひと》に、「眠《ねむ》くなったらそのまま眠《ねむ》って、起《お》きてからまた念仏《ねんぶつ》を唱《とな》えればよい」と優《やさ》しい言葉《ことば》をかけたそうよ。

【法然《ほうねん》】(1133年《ねん》〜1212年《ねん》)日本《にほん》の僧侶《そうりょ》、浄土宗《じょうどしゅう》の開祖《かいそ》。15歳《さい》で出家《しゅっけ》し、浄土宗《じょうどしゅう》を開《ひら》いた。誰《だれ》でも「南無阿弥陀仏《なむあみだぶつ》」と唱《とな》え続《つづ》ければ、極楽《ごくらく》へ行《い》けるという教《おし》えを広《ひろ》めた。

法然《ほうねん》のエピソード

「厳《きび》しい修行《しゅぎょう》をしなくても、念仏《ねんぶつ》を唱《とな》えれば救《すく》われる」という法然《ほうねん》の教《おし》えは、「救《すく》われたいけど、修行《しゅぎょう》するのはツラい」という一般《いっぱん》の人《ひと》たちに喜《よろこ》んで受《う》けいれられました。

仏教《ぶっきょう》では、お酒《さけ》を飲《の》むことはよくないと言《い》われていることから、ある人《ひと》が「お酒《さけ》を飲《の》むのは罪《つみ》になりますか？」と質問《しつもん》したとき、法然《ほうねん》さんはこう答《こた》えたといいます。「まことには飲《の》むべくもなけれども、この世《よ》のならい」（『百四十五箇条問答《ひゃくよんじゅうごかじょうもんどう》』より）。つまり、「本当《ほんとう》は飲《の》んではいけないけど、世《よ》の中《なか》、付《つ》き合《あ》いもあるし、そういうものだから、飲《の》んでも仕方《しかた》ないかな」と答《こた》えたのです。

覚《おぼ》えておこう

無理《むり》して続《つづ》けるより、ひと休《やす》み、ひと休《やす》み。

眠《ねむ》いのに無理《むり》して勉強《べんきょう》しても頭《あたま》に入《はい》らないよね
疲《つか》れたら、一度休《いちどやす》んだほうが効率的《こうりつてき》だわ

22

臨済宗《りんざいしゅう》 栄西《えいさい》の教《おし》え

自分《じぶん》の命《いのち》と健康《けんこう》を大切《たいせつ》にしなさい。

【原文《げんぶん》】人《ひと》、一期《いちご》を保《たも》つに、命《いのち》を守《まも》るを賢《かしこ》しとなす。その一期《いちご》を保《たも》つの源《みなもと》は、養生《ようじょう》に在《あ》り。（『喫茶養生記《きっさようじょうき》』）

【栄西《えいさい》】(1141年《ねん》〜1215年《ねん》)日本《にほん》の僧侶《そうりょ》、臨済宗《りんざいしゅう》の開祖《かいそ》。中国《ちゅうごく》での修行中《しゅぎょうちゅう》にお茶《ちゃ》を飲《の》むと体調《たいちょう》がよくなり、眠気《ねむけ》も覚《さ》めると知《し》り、お茶《ちゃ》を日本《にほん》に持《も》ち帰《かえ》って、仏教《ぶっきょう》とともに広《ひろ》めた。

栄西《えいさい》は「人《ひと》が一生《いっしょう》を送《おく》るためには、何《なに》よりも命《いのち》を大切《たいせつ》にして、健康《けんこう》でいることを心《こころ》がけなくてはいけない」と言《い》っています。そして、「健康《けんこう》によいから」と「お茶《ちゃ》を飲《の》むこと」を広《ひろ》めました。ケガをするかもしれないような危《あぶ》ない遊《あそ》びや、寒《さむ》い日《ひ》に薄着《うすぎ》でいるなど、健康《けんこう》を害《がい》するようなことはしないことが大切《たいせつ》ね。健康《けんこう》は、そこなってみて初《はじ》めて大切《たいせつ》さがわかります。くれぐれも体《からだ》を大切《たいせつ》にね。

覚《おぼ》えておこう

命《いのち》と健康《けんこう》は何《なに》よりも大切《たいせつ》！

23

日蓮宗《にちれんしゅう》

日蓮《にちれん》の教《おし》え

正《ただ》しいことは勝《か》つ。

【原文《げんぶん》】悪《あく》は多《おお》けれども一善《いちぜん》にかつ事《こと》なし。（『異体同心事《いたいどうしんじ》』）

【日蓮《にちれん》】(1222年《ねん》～1282年《ねん》)日本《にほん》の僧侶《そうりょ》、日蓮宗《にちれんしゅう》(法華宗《ほっけしゅう》)の開祖《かいそ》。数多《かずおお》くの地震《じしん》や暴風雨《ぼうふうう》にさいなまれ、人々《ひとびと》が悪《わる》い病気《びょうき》にかかった時代《じだい》に、全国《ぜんこく》でお経《きょう》を唱《とな》え歩《ある》き、苦《くる》しむ人々《ひとびと》を救《すく》った。

日蓮《にちれん》さんは、「世《よ》の中《なか》にたくさんの悪《あく》がはびこっていても、たった一《ひと》つの正《ただ》しいことに勝《まさ》ることはない」と言《い》っています。簡単《かんたん》に言《い》えば「正義《せいぎ》は勝《か》つ！」ね。先生《せんせい》もこの言葉《ことば》に賛成《さんせい》です。たとえ、悪《わる》いことをしている人《ひと》たちが、一時的《いちじてき》にお金《かね》を儲《もう》けるなど得《とく》をしたとしても、そういう人《ひと》たちはいつか必《かなら》ず罰《ばつ》を受《う》ける日《ひ》が来《き》ます。最後《さいご》の最後《さいご》は、正《ただ》しいことを続《つづ》けている人《ひと》が本当《ほんとう》の勝者《しょうしゃ》になります。

覚《おぼ》えておこう

悪《あく》は、いつか必《かなら》ず滅《ほろ》びる。

24

浄土真宗《じょうどしんしゅう》　親鸞《しんらん》の教《おし》え1

チャンスは、明日《あす》も残《のこ》っているとは限《かぎ》らない。

【原文《げんぶん》】明日《あす》ありと　思《おも》う心《こころ》の徒桜《あださくら》　夜半《よわ》に嵐《あらし》の　吹《ふ》かぬものかは

この言葉《ことば》は、もともと親鸞《しんらん》さんが詠《よ》んだ和歌《わか》です。「明日《あした》はまだ桜《さくら》が咲《さ》いているだろうと思《おも》っていても、もしかしたら、夜《よる》に嵐《あらし》が来《き》て、すべて散《ち》ってしまうかもしれない」という意味《いみ》です。チャンスが来《き》たとき、「明日《あした》にしよう」と先送《さきおく》りにすると、誰《だれ》かに先《さき》を越《こ》されてしまうかもしれませんよね。慎重《しんちょう》になることも大切《たいせつ》ですが、「チャンスは今《いま》！」と決断《けつだん》する勇気《ゆうき》も必要《ひつよう》です。

【親鸞《しんらん》】（1173年《ねん》～1263年《ねん》）日本《にほん》の僧侶《そうりょ》、浄土真宗《じょうどしんしゅう》の開祖《かいそ》。幼《おさな》い頃《ころ》に両親《りょうしん》を亡《な》くして、わずか9歳《さい》で出家《しゅっけ》をした。90歳《さい》で亡《な》くなるまでの間《あいだ》、すべての人《ひと》が幸《しあわ》せになれる道《みち》を教《おし》え続《つづ》けた。

覚《おぼ》えておこう

チャンスは今《いま》！

親鸞《しんらん》のエピソード

親鸞《しんらん》がこの和歌《わか》を詠《よ》んだのは9歳《さい》のときと伝《つた》わっています。お坊《ぼう》さんになろうと決心《けっしん》した親鸞《しんらん》は、弟子入《でしい》りするために、僧侶《そうりょ》のもとを訪《たず》ねます。しかし、夜《よる》だったために、僧侶《そうりょ》から「明日《あす》の朝《あさ》に得度《とくど》の式（お坊《ぼう》さんになるための儀式《ぎしき》）をしてあげましょう」と言《い》われます。このときに詠《よ》んだのがこの和歌《わか》でした。

親鸞《しんらん》は、「明日《あした》になったら桜《さくら》は散《ち》ってしまうかもしれない」という意味《いみ》の和歌《わか》を詠《よ》んで、僧侶《そうりょ》に「明日《あす》まで待《ま》てない。今《いま》、出家《しゅっけ》したい」と伝《つた》えたのです。どうしてもお坊《ぼう》さんになりたいという強《つよ》い意志《いし》を感《かん》じる話《はなし》です。

ボクも図書委員《としょいいん》に速攻《そっこう》で立候補《りっこうほ》したよ
本好《ほんず》きのマサルには逃《のが》せないチャンスよね

25

浄土真宗《じょうどしんしゅう》 親鸞《しんらん》の教《おし》え2

許《ゆる》されるからといって、悪《わる》いことをしてはいけない。

【原文《げんぶん》】薬《くすり》あればとて毒《どく》をこのむべからず。（『歎異抄《たんにしょう》』）

浄土真宗《じょうどしんしゅう》では、「悪人《あくにん》も信心《しんじん》すれば成仏《じょうぶつ》できる」と説《と》いています。このことから「少《すこ》しくらい悪《わる》いことをしてもいいや」と考《かんが》えてしまうのを、「薬《くすり》があるからといって、毒《どく》をのんではいけない」と戒《いまし》めたのがこの言葉《ことば》です。バレないようにカンニングをしたり、誰《だれ》も見《み》ていないからと赤信号《あかしんごう》で渡《わた》ったりしても、勉強《べんきょう》がわからなくなったり、事故《じこ》に遭《あ》ったりして、損《そん》をするのは、結局《けっきょく》、自分《じぶん》ですよね。

覚《おぼ》えておこう

「これくらいはいいや」が落《お》とし穴《あな》！

26

曹洞宗《そうとうしゅう》　道元《どうげん》の教《おし》え

意《い》味《み》なくすごして、時間《じかん》をムダにしてはいけない。

【原文《げんぶん》】無益《むえき》の事《こと》を行《ぎょう》じて徒《いたずら》に時《とき》を失《うしな》うなかれ。（『正法眼蔵随聞記《しょうぼうげんぞうずいもんき》』）

特《とく》に見《み》たい番組《ばんぐみ》でもないし、好《す》きなタレントが出《で》ているわけでもないのに、なんとなくテレビを見《み》ていることはありませんか？　それでリラックスして、疲《つか》れをとっているというなら別《べつ》ですが、単《たん》にダラダラと見《み》ているだけなら、そういう時間《じかん》はとても無意味《むいみ》な時間《じかん》です。人間《にんげん》の一生《いっしょう》は限《かぎ》られた時間《じかん》しかありません。道元《どうげん》さんは、大切《たいせつ》な時間《じかん》をムダにするのは、とてももったいないと言《い》っているのね。

覚《おぼ》えておこう

時間《じかん》をムダにするのは、お金《かね》を捨《す》てているようなもの。

【道元《どうげん》】(1200年《ねん》～1253年《ねん》)日本《にほん》の僧侶《そうりょ》、曹洞宗《そうとうしゅう》の開祖《かいそ》。裕福《ゆうふく》な家《いえ》に生《う》まれたが、幼《おさな》い頃《ころ》に両親《りょうしん》を亡《な》くして14歳《さい》で出家《しゅっけ》。師《し》を求《もと》めて中国《ちゅうごく》に渡《わた》り、日本《にほん》に戻《もど》ると曹洞宗《そうとうしゅう》を始《はじ》めた。

27

時宗《じしゅう》 一遍《いっぺん》の教《おし》え

人《ひと》は平等《びょうどう》なので、差別《さべつ》してはいけない。

【原文《げんぶん》】専《もっぱ》ら平等心《びょうどうしん》をおこして、差別《さべつ》の思《おも》いをなすことなかれ。(『一遍上人語録《いっぺんしょうにんごろく》』)

人《ひと》は皆《みな》、平等《びょうどう》です。成績《せいせき》がよい人《ひと》、スポーツが得意《とくい》な人《ひと》、勉強《べんきょう》も運動《うんどう》も苦手《にがて》だけど心《こころ》が優《やさ》しい人《ひと》など、いろいろな人《ひと》がいますが、誰《だれ》が誰《だれ》よりも上《うえ》だとか下《した》だとかいうことはありません。たまたま、順位《じゅんい》がつくことはあっても、人間《にんげん》として上下《じょうげ》がつくわけではないわよね。それぞれに、イイところを持《も》っているのですから、差別《さべつ》をするなんてやってはいけないことだと一遍《いっぺん》さんは説《と》いているね。

覚《おぼ》えておこう

人《ひと》を差別《さべつ》する人《ひと》こそ、最低《さいてい》の人《ひと》。

【一遍《いっぺん》】(1239年《ねん》〜1289年《ねん》)日本《にほん》の僧侶《そうりょ》、時宗《じしゅう》の開祖《かいそ》。念仏《ねんぶつ》を唱《とな》えるときに、太鼓《たいこ》や鉦《かね》をたたきながら踊《おど》る「踊《おど》り念仏《ねんぶつ》」を広《ひろ》めた。これが、今《いま》の盆踊《ぼんおど》りになったといわれている。

28

僧侶《そうりょ》 一休宗純《いっきゅうそうじゅん》の教《おし》え

詩《し》をつくるより、田《た》をつくれ。

【一休《いっきゅう》（一休宗純《いっきゅうそうじゅん》）】（1394年《ねん》〜1481年《ねん》）
とんち話《ばなし》のモデルとしてもその名《な》を残《のこ》している、室町時代《むろまちじだい》の臨済宗《りんざいしゅう》の僧《そう》、詩人《しじん》。

これは「生《い》きていく上《うえ》で役《やく》に立《た》たないこと」よりも、まずは「生《い》きていく上《うえ》で役《やく》に立《た》つこと」をしなさいという意味《いみ》です。一休《いっきゅう》さんは決《けっ》して「詩《し》をつくる」ということを否定《ひてい》しているのではなく、「食《た》べていくことのほうが大切《たいせつ》」だと言《い》っているのですね。だって、もし、あなたが大人《おとな》になったとき、作曲家《さっきょくか》になりたいと思《おも》って歌《うた》ばかり作《つく》っていても、売《う》れなければ明日《あす》のご飯《はん》にも困《こま》ってしまうわよね。

覚《おぼ》えておこう

まず、食《た》べていけることが第一《だいいち》。

29

曹洞宗《そうとうしゅう》 良寛《りょうかん》の教《おし》え

花《はな》は、無心《むしん》で咲《さ》き、チョウを招《まね》いている。チョウも、無心《むしん》で花《はな》を訪《たず》ねている。

【原文《げんぶん》】花無心招蝶　蝶無心尋花（花《はな》は蝶《ちょう》を招《まね》くに心無《こころな》く　蝶《ちょう》は花《はな》を尋《たず》ぬるに心無《こころな》し）

良寛《りょうかん》さんが漢詩《かんし》として詠《よ》んだ、深《ふか》い言葉《ことば》です。花《はな》が咲《さ》くのも、その花《はな》にチョウが訪《おとず》れるのも、ともに「そうしよう」と思《おも》ってしているわけではなく、ごく自然《しぜん》なこと。良寛《りょうかん》さんは、同《おな》じように、人《ひと》と人《ひと》が出会《であ》うのも、友《とも》だちになるのも、自然《しぜん》の流《なが》れであり、「こうしよう、ああしよう」とつまらないことを考《かんが》えたり、悩《なや》んだりせず、自然《しぜん》に流《なが》れるままに過《す》ごせばいい、と言《い》っているのではないかしら。

【良寛《りょうかん》】(1758年《ねん》～1831年《ねん》)日本《にほん》の僧侶《そうりょ》、歌人《かじん》。身分《みぶん》の高《たか》いお坊《ぼう》さんになっても、立派《りっぱ》なお寺《てら》や衣服《いふく》を持《も》たなかった。小《ちい》さな家《いえ》で暮《く》らし、自然《しぜん》や子供《こども》を愛《あい》しながら、美《うつく》しい詩《し》や俳句《はいく》、和歌《わか》を作《つく》った。

覚《おぼ》えておこう

自然《しぜん》の摂理《せつり》は、人《ひと》の考《かんが》えを超《こ》えている。

良寛《りょうかん》のエピソード

良寛《りょうかん》さんの時代《じだい》、トイレは家《いえ》の外《そと》にある小屋《こや》の中《なか》にあるのが普通《ふつう》でした。ある夜《よる》のこと、良寛《りょうかん》さんはトイレの中《なか》にタケノコが生《は》えてきているのを見《み》つけました。タケノコは、ものすごいスピードで竹《たけ》に成長《せいちょう》します。このままでは、トイレの屋根《やね》がジャマになってタケノコがかわいそうだと思《おも》った良寛《りょうかん》さん、持《も》っていたロウソクの火《ひ》でトイレの屋根《やね》に穴《あな》を開《あ》けようとします。しかし、あっと言《い》う間《ま》に火《ひ》が燃《も》え広《ひろ》がり、トイレの小屋《こや》は全焼《ぜんしょう》してしまったそうです。それにしても、タケノコのために屋根《やね》に穴《あな》を開《あ》けようとするとは、良寛《りょうかん》さん、優《やさ》しすぎですね。

自然《しぜん》の流《なが》れにゆだねなさい、ということかな?
深《ふか》すぎて、正直《しょうじき》、私《わたし》にはまだむずかしいわ

30 臨済宗《りんざいしゅう》 沢庵《たくあん》の教《おし》え

ある人《ひと》のことを知《し》ろうと思《おも》ったら、その人《ひと》が付《つ》き合《あ》っている友《とも》だちを見《み》なさい。

【原文《げんぶん》】人《ひと》の良《よ》し悪《あ》しを知《し》らんと思《おも》わば、その愛《あい》し用《もち》いられている臣下《しんか》、または親《した》しみ交《まじ》わる友達《ともだち》をもって知《し》れ。

【沢庵《たくあん》】(1573年《ねん》～1646年《ねん》)日本《にほん》の僧侶《そうりょ》。美味《おいし》いものが食《た》べたいと言《い》う徳川家光《とくがわいえみつ》に、空腹《くうふく》にさせてから漬物《つけもの》を与《あた》え、美味《おいし》いと感心《かんしん》させた。その漬物《つけもの》がこの一件《いっけん》で「たくあん」と名付《なづ》けられたといわれる。

どんな人《ひと》と付《つ》き合《あ》っているかがわかると、その人《ひと》のことはだいたいわかります。それに、その人《ひと》と付《つ》き合《あ》いのある人《ひと》は、その人《ひと》のことをよく知《し》っていますから、「○○さんて、どんな人《ひと》?」と聞《き》いてみてもいいわね。あなただって、自分《じぶん》と似《に》た性格《せいかく》の人《ひと》とお付《つ》き合《あ》いしていませんか? お付《つ》き合《あ》いのある人《ひと》たちに「○○は、とってもいいヤツ」と言《い》ってもらえるような人《ひと》になりたいものよね。

覚《おぼ》えておこう

友《とも》だちは、あなたの映《うつ》し鏡《かがみ》。

第《だい》3章《しょう》

中国《ちゅうごく》の思想家《しそうか》たちの教《おし》え

31

道教《どうきょう》 老子《ろうし》の教《おし》え1

自慢《じまん》しない人《ひと》は、まわりから尊敬《そんけい》される。

【原文《げんぶん》】自《みずか》らほこらず、ゆえに長《ちょう》たり。

たいしたこともしていないのに、自分《じぶん》の自慢話《じまんばなし》ばかりしている人《ひと》って、見《み》ていてカッコ悪《わる》いわよね。反対《はんたい》に何《なに》かの大会《たいかい》で優勝《ゆうしょう》するなど、スゴいことをしていても、自分《じぶん》からは自慢《じまん》せず、「仲間《なかま》のおかげです」なんて言《い》う人《ひと》は、まわりから尊敬《そんけい》されます。成功《せいこう》を独《ひと》り占《じ》めするような人《ひと》より、失敗《しっぱい》したときは「自分《じぶん》のせい」、成功《せいこう》したときは「みんなのおかげ」と言《い》うような人《ひと》が、本当《ほんとう》に立派《りっぱ》な人《ひと》です。

【老子《ろうし》】(前《ぜん》579年頃《ねんごろ》～前《ぜん》499年頃《ねんごろ》)中国《ちゅうごく》春秋《しゅんじゅう》時代《じだい》末期《まっき》の思想家《しそうか》・哲学者《てつがくしゃ》。『老子』の著者《ちょしゃ》。老子《ろうし》とは「偉大《いだい》な人物《じんぶつ》」の尊称《そんしょう》だといわれている。

覚《おぼ》えておこう

威《い》張《ば》っている人《ひと》は、カッコ悪《わる》い！

老子《ろうし》のエピソード

老子《ろうし》は、「一番《いちばん》すばらしい生《い》き方《かた》は、水《みず》のような生《い》き方《かた》だ」（原文《げんぶん》は「上善《じょうぜん》は水《みず》のごとし」）と言《い》っています。動物《どうぶつ》も植物《しょくぶつ》も、水《みず》がなくては生《い》きていけませんよね。水《みず》は、みんなの役《やく》に立《た》っているのに決《けっ》して誇《ほこ》りません。そして、丸《まる》い器《うつわ》に入《い》れれば丸《まる》くなるし、四角《しかく》い器《うつわ》に入《い》れれば四角《しかく》くなるなど、環境《かんきょう》に合《あ》わせて自分《じぶん》を変《か》えることができて、まわりと争《あらそ》いません。さらに、いつも低《ひく》いほうへ低《ひく》いほうへと流《なが》れていって威張《いば》りません。

まわりの役《やく》に立《た》ちながらも、誇《ほこ》らず、争《あらそ》わず、威張《いば》らない。そんな生《い》き方《かた》を老子《ろうし》は理想《りそう》の生《い》き方《かた》としたのです。

ボクはもともと自慢《じまん》することないから……
あら、誰《だれ》にでも優《やさ》しいのがマサルのいいところよ

32

道教《どうきょう》

老子《ろうし》の教《おし》え2

勝《か》っても、いい気《き》になってはいけない。

【原文《げんぶん》】勝《か》ちて美《び》とせず。

勝利《しょうり》して喜《よろこ》ぶのは悪《わる》くありません。でも、いつまでも「勝《か》った勝《か》った」と浮《う》かれていると、成長《せいちょう》はそこでストップです。テストで１００点《てん》をとって喜《よろこ》ぶのはよいですが、いい気《き》になってサボると、次のテストでヒドい点《てん》をとってしまうわよね。日本《にほん》にも「勝《か》って兜《かぶと》の緒《お》を締《し》めよ」ということわざがあります。これは、「戦《いくさ》に勝《か》ったときこそ、気《き》を引《ひ》き締《し》めなさい」という意味《いみ》です。

覚《おぼ》えておこう

勝《か》ったときこそ、油断禁物《ゆだんきんもつ》。

33

兵法書《へいほうしょ》 孫子《そんし》の教《おし》え

最高《さいこう》の勝《か》ち方《かた》は、戦《たたか》わずして勝《か》つこと。

【孫子《そんし》】(前《ぜん》6世紀《せいき》～前《ぜん》5世紀《せいき》)中国《ちゅうごく》春秋《しゅんじゅう》時代《じだい》の武将《ぶしょう》・兵法家《へいほうか》。兵法書《へいほうしょ》『孫子《そんし》』の著者《ちょしゃ》といわれている。兵法書《へいほうしょ》『孫子《そんし》』は日本《にほん》の戦国武将《せんごくぶしょう》にも影響《えいきょう》をあたえた。

戦《たたか》い方《かた》が書《か》かれた兵法書《へいほうしょ》『孫子《そんし》』には、「戦《たたか》わないで勝《か》つのが、理想《りそう》の勝《か》ち方《かた》」だと記《しる》されています。たとえば、校庭《こうてい》の場所取《ばしょと》りで、どっちが早《はや》かったなんて、ケンカをしていたら、争《あらそ》っているうちに休《やす》み時間《じかん》が終《お》わってしまいます。それより、「半分《はんぶん》ずつ使《つか》おう」とか「今日《きょう》はゆずるから、明日《あした》は使《つか》わせて」なんて交渉《こうしょう》をして、お互《たが》いが納得《なっとく》すれば、結果的《けっかてき》に勝《か》ったのと同《おな》じことになるわよね。

覚《おぼ》えておこう

武力行使《ぶりょくこうし》は最後《さいご》の手段《しゅだん》！

34

儒教《じゅきょう》 孔子《こうし》の教《おし》え1

「知《し》っているだけの人《ひと》」は「好《す》きな人《ひと》」にはかなわない。「好《す》きな人《ひと》」は「楽《たの》しんでいる人《ひと》」にはかなわない。

【原文《げんぶん》】これを知《し》るはこれを好《この》む者《もの》に如《し》かず。これを好《この》む者《もの》はこれを楽《たの》しむ者《もの》に如《し》かず。

「楽《たの》しんでやっている人《ひと》」が一番上達《いちばんじょうたつ》するということです。単《たん》にサッカーをやっている人《ひと》よりも、サッカーが好《す》きな人《ひと》のほうが先《さき》にうまくなるわよね。でも、好《す》きなだけでなく、サッカーをするのが楽《たの》しくて楽《たの》しくてしょうがない人《ひと》のほうが、さらに上達《じょうたつ》が早《はや》いでしょう。だから、何《なに》かをうまくなりたいと思《おも》ったら、そのことを「楽《たの》しんでやる」ようにすれば、早《はや》く上達《じょうたつ》するわよ。

【孔子《こうし》】（前《ぜん》552年《ねん》～前《ぜん》479年《ねん》）中国《ちゅうごく》の春秋時代《しゅんじゅうじだい》の思想家《しそうか》・哲学者《てつがくしゃ》であり、儒教《じゅきょう》の創始者《そうししゃ》。弟子《でし》が孔子《こうし》の言葉《ことば》をまとめた『論語《ろんご》』で、孔子《こうし》が語《かた》ったことを知《し》ることができる。

孔子《こうし》のエピソード

孔子《こうし》はもともと、今《いま》でいう政治家《せいじか》でした。いっときは出世《しゅっせ》したのですが、考《かんが》え方《かた》があまりにも理想《りそう》を追《お》っていたために、支配者《しはいしゃ》から煙《けむ》たがられて、政治家《せいじか》としての地位《ちい》を失《うしな》ったと言《い》われています。仕事《しごと》を失《うしな》った孔子《こうし》は、弟子《でし》とともに旅《たび》に出《で》て、各地《かくち》を放浪《ほうろう》し、故郷《こきょう》に戻《もど》ったときにはもう69歳《さい》になっていました。有名《ゆうめい》な『論語《ろんご》』は、孔子《こうし》が亡《な》くなったあとに弟子《でし》たちがまとめたもので、いわば孔子《こうし》と弟子《でし》の会話集《かいわしゅう》です。

ちなみに孔子《こうし》は、背《せ》の高《たか》さが216センチもあり、まわりからは「長人《ちょうじん》」と呼《よ》ばれていたそうです。

覚《おぼ》えておこう

「楽《たの》しんでいる人《ひと》」は最強《さいきょう》！

ボクは、本《ほん》を読《よ》んでいると、すごく楽《たの》しいよ
だからマサルは月《つき》に何冊《なんさつ》も本《ほん》が読《よ》めるのね

35

儒教《じゅきょう》 孔子《こうし》の教《おし》え2

失敗《しっぱい》したことを認《みと》めないこと。それが本当《ほんとう》の失敗《しっぱい》。

【原文《げんぶん》】過《あやま》ちて改《あらた》めざる、是《こ》れを過《あやま》ちという。

どんなにすぐれた人《ひと》でも間違《まちが》いをおかします。ですから、失敗《しっぱい》しても仕方《しかた》ありません。よくないのは、自分《じぶん》が失敗《しっぱい》したことを認《みと》めないで反省《はんせい》しないことです。失敗《しっぱい》を素直《すなお》に受《う》けいれて、次《つぎ》に活《い》かすことが大切《たいせつ》。野球《やきゅう》で三振《さんしん》したら、「相手《あいて》のピッチャーがよかった」と言《い》い訳《わけ》するより、三振《さんしん》した事実《じじつ》を認《みと》めて、次《つぎ》は打《う》てるように練習《れんしゅう》することが大切《たいせつ》よね。

覚《おぼ》えておこう

失敗《しっぱい》を受《う》けいれて、次《つぎ》の成功《せいこう》に活《い》かす！

36

儒教《じゅきょう》 孔子《こうし》の教《おし》え3

「やりすぎ」は、「足《た》りない」のと同《おな》じくらいによくない。

【原文《げんぶん》】過《す》ぎたるはなお及《およ》ばざるがごとし。

「どんなことでも、やりすぎると台無《だいな》しになる」という意味《いみ》です。いくら健康《けんこう》によい食《た》べ物《もの》でも、食《た》べすぎたらお腹《なか》をこわしますよね。それに、たとえば、掃除《そうじ》の時間《じかん》に、サボっている人《ひと》に注意《ちゅうい》をするのはよくても、強《つよ》く言《い》いすぎると相手《あいて》を怒《おこ》らせて逆効果《ぎゃくこうか》になりかねません。ものごとをうまく運《はこ》ぶには「ほどほど」を意識《いしき》するとよいのです。あっ、テストはほどほどじゃなくて、満点《まんてん》を目指《めざ》してね。

覚《おぼ》えておこう

「ほどほど」は、うまく進《すす》めるための魔法《まほう》の言葉《ことば》。

孔子《こうし》には
三千人以上《さんぜんにんいじょう》の
弟子《でし》がいたんだワン

37

儒学者《じゅがくしゃ》 孟子《もうし》の教《おし》え1

誠意《せいい》を尽《つ》くせば、心《こころ》を動《うご》かさない人《ひと》はいない。

【原文《げんぶん》】至誠《しせい》にして動《うご》かざる者《もの》は　いまだこれあらざるなり。

孟子《もうし》は、まごころを尽《つ》くせば、どんな人《ひと》でも心《こころ》を動《うご》かしてくれると言《い》っています。たとえば、あなたが誰《だれ》かから、とても許《ゆる》せないような失敗《しっぱい》をされたとしても、何度《なんど》も何度《なんど》も謝《あやま》られたら、相手《あいて》を許《ゆる》す気《き》になるわよね。原文《げんぶん》にある「至誠《しせい》」とは、「相手《あいて》が許《ゆる》してくれるまで謝《あやま》り続《つづ》ける」というくらいのとても誠実《せいじつ》な、まごころのことです。一度《いちど》や二度《にど》であきらめる程度《ていど》では、至誠《しせい》とはいえないのよ。

【孟子《もうし》】(前《ぜん》372年頃《ねんごろ》～前《ぜん》289年頃《ねんごろ》)中国《ちゅうごく》の戦国時代《せんごくじだい》の儒学者《じゅがくしゃ》。孔子《こうし》の教《おし》えを学《まな》んだ。教育熱心《きょういくねっしん》な母親《ははおや》の孟母三遷《もうぼさんせん》の教《おし》えというエピソードは有名《ゆうめい》な話《はなし》。

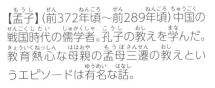

覚《おぼ》えておこう

ここ一番《いちばん》では「至誠《しせい》」を尽《つ》くして相手《あいて》の心《こころ》を動《うご》かそう！

孟子《もうし》のエピソード

「孟母三遷《もうぼさんせん》の教《おし》え」と呼《よ》ばれる、孟子《もうし》の母親《ははおや》の有名《ゆうめい》な話《はなし》があります。

孟子《もうし》が幼《おさな》いころ、家《いえ》は墓地《ぼち》の近《ちか》くで、幼《おさな》い孟子《もうし》が「お葬式《そうしき》ごっこ」をして遊《あそ》んでいるのを見《み》た母親《ははおや》は、「この子《こ》にとってよくない」と引《ひ》っ越《こ》しをします。越《こ》した先《さき》は市場《いちば》の近《ちか》くで、今度《こんど》は「商売《しょうばい》ごっこ」をして遊《あそ》ぶ孟子《もうし》を見《み》た母親《ははおや》は「ここも、この子《こ》のためによくない」とまた引《ひ》っ越《こ》します。引《ひ》っ越《こ》し先《さき》は学校《がっこう》の近《ちか》くで、孟子《もうし》は学生《がくせい》のマネをして勉強《べんきょう》をするようになり、母親《ははおや》はやっと安心《あんしん》しました。これは、子育《こそだ》てには環境《かんきょう》が大切《たいせつ》という教《おし》えとして伝《つた》わっています。

人《ひと》の心《こころ》を動《うご》かすものは、人《ひと》の心《こころ》なんだね
まごころを尽《つ》くされたら感動《かんどう》するわ

38

儒学者《じゅがくしゃ》 孟子《もうし》の教《おし》え2

力《ちから》ずくでは、人《ひと》は心《こころ》からは従《したが》わない。人徳《じんとく》によってなら、人《ひと》は心《こころ》から仲間《なかま》になってくれる。

【原文《げんぶん》】力《ちから》をもって人《ひと》を服《ふく》するのは、心《こころ》から服《ふく》するにあらず。徳《とく》をもって人《ひと》を服《ふく》するは、喜《よろこ》んで真《しん》に服《ふく》するものなり。

力《ちから》の強《つよ》い人《ひと》が、その力《ちから》で弱《よわ》い人《ひと》たちを従《したが》わせても、従《したが》っている人《ひと》たちは、心《こころ》の中《なか》で不満《ふまん》に思《おも》っています。だから、その人《ひと》の力《ちから》が弱《よわ》くなればすぐに離《はな》れていってしまうでしょう。でも、心《こころ》が大《おお》きくて優《やさ》しい、人望《じんぼう》の厚《あつ》い人《ひと》に対《たい》しては、まわりの人《ひと》たちは心《こころ》から仲間《なかま》になってくれます。もし、その人《ひと》が困《こま》っても、きっと喜《よろこ》んで助《たす》けてくれるでしょう。「力《ちから》よりも人望《じんぼう》」は、人《ひと》の上《うえ》に立《た》つ人《ひと》の心得《こころえ》ね。

覚《おぼ》えておこう

上《うえ》に立《た》つ人《ひと》は、人望《じんぼう》でまわりを惹《ひ》きつけよう！

39

思想家《しそうか》 墨子《ぼくし》の教《おし》え

長所《ちょうしょ》や得意《とくい》なことは、失敗《しっぱい》につながりやすい。

【原文《げんぶん》】人《ひと》はその長《ちょう》ずる所《ところ》に死《し》せざるは寡《すくな》し

「私《わたし》は計算《けいさん》が得意《とくい》」と思《おも》っている人《ひと》は油断《ゆだん》して計算間違《けいさんまちが》いをしやすいものです。昔《むかし》の武将《ぶしょう》も、武勇《ぶゆう》に自信《じしん》がある人《ひと》ほど、自分《じぶん》の力《ちから》を信《しん》じすぎて、戦《たたか》いによって命《いのち》を失《うしな》いました。墨子《ぼくし》は、「自分《じぶん》の長所《ちょうしょ》や得意《とくい》なことほど、油断《ゆだん》が生《しょう》じて命《いのち》を落《お》とすことが多《おお》い」と、注意《ちゅうい》をうながしているのね。失敗《しっぱい》しないためには、自分《じぶん》が得意《とくい》なことほど、慎重《しんちょう》に取《と》り組《く》んで、イイ気《き》にならないことが大切《たいせつ》なのね。

【墨子《ぼくし》】(前《ぜん》470年《ねん》～前《ぜん》391年《ねん》)中国《ちゅうごく》の思想家《しそうか》、墨家《ぼくか》の開祖《かいそ》。戦争《せんそう》の多《おお》い時代《じだい》に生《う》まれ、自《みずか》ら戦闘部隊《せんとうぶたい》をつくって活動《かつどう》した。攻撃《こうげき》することを否定《ひてい》して、侵略《しんりゃく》から人々《ひとびと》を守《まも》るための戦《たたか》い方《かた》を考《かんが》えた。

覚《おぼ》えておこう

得意《とくい》なことは、慎重《しんちょう》にして取《と》りこぼさない。

40

思想家《しそうか》 荘子《そうし》の教《おし》え

自分《じぶん》の利益《りえき》だけに夢中《むちゅう》になっていると、大切《たいせつ》なことを忘《わす》れてしまう。

【原文《げんぶん》】利《り》を見《み》てしこうして、その真《しん》を忘《わす》る

荘子《そうし》が書《か》いた本《ほん》は荘子(そうじ)というんだワン

一《ひと》つのことに集中《しゅうちゅう》すると、まわりが見《み》えなくなったり、大切《たいせつ》なことを忘《わす》れてしまったりするものよね。友《とも》だちと楽《たの》しく遊《あそ》んでいたら、時間《じかん》がたつのを忘《わす》れて、家《いえ》に帰《かえ》るのがすごく遅《おそ》くなってしまったこと、テレビに夢中《むちゅう》になって宿題《しゅくだい》があるのを忘《わす》れたこと、ありませんか? 何《なに》かに夢中《むちゅう》になっているときは、特《とく》に注意《ちゅうい》ね。ゲームをやりながら道《みち》を歩《ある》いていたら、人《ひと》にぶつかってしまうわよ!

【荘子《そうし》】(前《ぜん》369年《ねん》～前《ぜん》286年《ねん》)中国《ちゅうごく》の思想家《しそうか》、道教《どうきょう》の始祖《しそ》の一人《ひとり》。何《なに》かを手《て》に入《い》れたいという欲《よく》を持《も》たずに、あるがままの自然《しぜん》に従《したが》って生《い》きるのが良《よ》いのだと教《おし》えた。

覚《おぼ》えておこう

夢中《むちゅう》になっても、まわりには気《き》をつける！

荘子《そうし》のエピソード

この「自分《じぶん》の利益《りえき》だけに夢中《むちゅう》になっていると、大切《たいせつ》なことを忘《わす》れてしまう」という言葉《ことば》は、荘子《そうし》の体験《たいけん》から出《で》た言葉《ことば》です。ある日《ひ》、荘子《そうし》が道《みち》を歩《ある》いていると1羽《わ》の鳥《とり》が枝《えだ》にとまっていました。荘子《そうし》は鳥《とり》を捕《つか》まえようと近《ちか》づきますが、逃《に》げる気配《けはい》がありません。よく見《み》ると、その鳥《とり》は草《くさ》むらにいるカマキリを狙《ねら》っていたのです。一方《いっぽう》、カマキリのほうは、セミを狙《ねら》っていて、自分《じぶん》が鳥《とり》に狙《ねら》われていることに気《き》がついていません。鳥《とり》もカマキリも、目《め》の前《まえ》の獲物《えもの》に夢中《むちゅう》になっていて、自分《じぶん》に危険《きけん》が迫《せま》っていることに気《き》がついていなかったのです。

この前《まえ》、本《ほん》に夢中《むちゅう》になって電柱《でんちゅう》にぶつかったなぁ
マサル〜、危《あぶ》ないから本《ほん》を読《よ》みながら歩《ある》かないでね

41

儒学者《じゅがくしゃ》 荀子《じゅんし》の教《おし》え1

自分《じぶん》の欠点《けってん》を指摘《してき》してくれる人《ひと》は先生《せんせい》。自分《じぶん》の長所《ちょうしょ》を指摘《してき》してくれる人《ひと》は友《とも》だち。

【原文《げんぶん》】我《われ》を非《ひ》として当《むか》う者《もの》は吾《わ》が師《し》なり。我《われ》を是《ぜ》として当《あ》たる者《もの》は吾《わ》が友《とも》なり。

わざわざ注意《ちゅうい》してくれる人《ひと》は、あなたのためを思《おも》って注意《ちゅうい》してくれているのだから、先生《せんせい》だと思《おも》って「ありがたく注意《ちゅうい》を聞《き》きなさい」。褒《ほ》めてくれる人《ひと》は、好意《こうい》をもってくれているのだから「友《とも》だちとして大切《たいせつ》にしなさい」ということね。とくに、人《ひと》から注意《ちゅうい》されると、ついカチンときてしまいがちですが、そこで「この人《ひと》は自分《じぶん》のために言《い》ってくれているのかも?」って思《おも》うことが大切《たいせつ》なのよ。

覚《おぼ》えておこう

自分《じぶん》に注意《ちゅうい》してくれる人《ひと》は、師匠《ししょう》のようなもの。

【荀子《じゅんし》】(前《ぜん》313年《ねん》?~前《ぜん》238年《ねん》)中国《ちゅうごく》の思想家《しそうか》。人間《にんげん》は悪《わる》いことをしてしまう生《い》き物《もの》だから、成長《せいちょう》する中《なか》でよいことができるように学《まな》ぶのだと考《かんが》えた。代表作《だいひょうさく》に『性悪説《せいあくせつ》』がある。

42

儒学者《じゅがくしゃ》　荀子《じゅんし》の教《おし》え2

迷《まよ》いながらやると、失敗《しっぱい》する。

【原文《げんぶん》】疑《ぎ》を以《も》て疑《ぎ》を決《けっ》すれば、決《けっ》必《かなら》ず当《あ》たらず。

何《なに》かことを行《おこな》うときは、「これだ！」と信《しん》じてやらないと失敗《しっぱい》しやすいということです。「この方法《ほうほう》だと失敗《しっぱい》するんじゃないか……」と疑《うたぐ》りながらやっても、うまくいかないわよね。あやふやな決断《けつだん》では、あやふやな行動《こうどう》しかできません。やるならやるで、腹《はら》をくくって取《と》り組《く》むと、うまくいきます。勝負《しょうぶ》ごとでも、こっちが不利《ふり》だとしても、勝《か》てると信《しん》じて戦《たたか》えば、意外《いがい》と勝《か》てたりするものなのよ。

何《なに》よりも
自分《じぶん》を
信《しん》じることだワン

覚《おぼ》えておこう

「失敗《しっぱい》するかも」は、失敗《しっぱい》をよぶ。

43

儒学者《じゅがくしゃ》 朱子《しゅし》の教《おし》え1

できなかったときは、自分《じぶん》が「本気《ほんき》だったかどうか」を反省《はんせい》しなさい。

【原文《げんぶん》】万事《ばんじ》成《な》らざれば　須《すべか》らく吾《わ》が志《こころざし》を責《せ》むべし

【朱子《しゅし》】(1130年《ねん》～1200年《ねん》)中国《ちゅうごく》の思想家《しそうか》、朱子学《しゅしがく》の創始者《そうししゃ》。天体《てんたい》の動《うご》きを模型《もけい》にしたり、雪《ゆき》の結晶《けっしょう》を観察《かんさつ》しながら宇宙《うちゅう》の仕組《しく》みを研究《けんきゅう》して、朱子学《しゅしがく》という学問《がくもん》を切《き》り拓《ひら》いた。

「できなかった原因《げんいん》は、まず、自分《じぶん》のヤル気《き》が足《た》りなかったのではないかと疑《うたが》って反省《はんせい》しなさい」ということね。できなかったことについて、体調《たいちょう》やお天気《てんき》や他人《たにん》のせいにするのは簡単《かんたん》です。でももし、もっと気合《きあ》いを入《い》れて取《と》り組《く》んでいたらできたのでは……と反省《はんせい》することが次《つぎ》の成功《せいこう》につながります。スポーツでも、一流選手《いちりゅうせんしゅ》は負《ま》けたとき、言《い》い訳《わけ》せずに、「次《つぎ》、頑張《がんば》ります」って言《い》うわよね。

覚《おぼ》えておこう

「本当《ほんとう》にベストを尽《つ》くしたか？」と反省《はんせい》しよう。

44

儒学者《じゅがくしゃ》　朱子《しゅし》の教《おし》え2

すぐに年《とし》をとってしまうから、時間《じかん》を惜《お》しんで勉強《べんきょう》したほうがいい。

【原文《げんぶん》】少年《しょうねん》老《お》い易《やす》く、学《がく》成《な》り難《がた》し。一寸《いっすん》の光陰《こういん》軽《かろ》んずべからず。

「まだまだ子《こ》どもだと思《おも》っていても、学問《がくもん》を究《きわ》めようと思《おも》ったら時間《じかん》が必要《ひつよう》なので、早《はや》くから時間《じかん》を惜《お》しんで勉強《べんきょう》しなさい」という意味《いみ》です。これは、なにも勉強《べんきょう》にかぎった話《はなし》ではありません。将棋《しょうぎ》の藤井聡太《ふじいそうた》君《くん》が最年少《さいねんしょう》のプロ棋士《きし》として話題《わだい》になったけれど、ある道《みち》で一流《いちりゅう》の人《ひと》になろうと思《おも》ったら、子《こ》どものうちから真剣《しんけん》に取《と》り組《く》んだほうが、まわりの人《ひと》たちよりも先《さき》に力《ちから》をつけることができるわよ。

覚《おぼ》えておこう

道《みち》を究《きわ》めるためには、時間《じかん》をムダにできない。

45

著作家《ちょさくか》 洪自誠《こうじせい》の教《おし》え1

他人《たにん》の過《あやま》ちには寛大《かんだい》であれ。しかし、自分《じぶん》の過《あやま》ちには、厳《きび》しくなければならない。

【出典《しゅってん》】洪自誠著《こうじせいちょ》『菜根譚《さいこんたん》』

【洪自誠《こうじせい》】(1573年《ねん》～1620年《ねん》)中国《ちゅうごく》の作家《さっか》。儒教《じゅきょう》、仏教《ぶっきょう》、道教《どうきょう》の教《おし》えをバランスよく取《と》り入《い》れて、賢《かしこ》く生《い》きるためのヒントを示《しめ》した『菜根譚《さいこんたん》』は、今《いま》でも多《おお》くの人《ひと》に読《よ》まれている。

これは洪自誠《こうじせい》さんの『菜根譚《さいこんたん》』に、人《ひと》との付《つ》き合《あ》い方《かた》として出《で》てくる言葉《ことば》です。他人《たにん》が失敗《しっぱい》したときは責《せ》めるのではなく、「ドンマイ、ドンマイ」と元気《げんき》づけてあげる。逆《ぎゃく》に自分《じぶん》が失敗《しっぱい》したときは、誰《だれ》からも責《せ》められなくても、しっかりと反省《はんせい》して次《つぎ》に活《い》かしなさい、ということね。この言葉《ことば》の続《つづ》きには「自分《じぶん》の苦《くる》しみには歯《は》をくいしばれ。しかし、他人《たにん》の苦《くる》しみを、見過《みす》ごしてはならない」とあります。

覚《おぼ》えておこう

他人《たにん》にやさしく、自分《じぶん》に厳《きび》しく！

46 著作家《ちょさくか》 洪自誠《こうじせい》の教《おし》え2

人《ひと》にした親切《しんせつ》は忘《わす》れてよいが、
人《ひと》にかけた迷惑《めいわく》は忘《わす》れてはいけない。
他人《たにん》から受《う》けた恩《おん》は忘《わす》れてはいけないが、
人《ひと》から受《う》けた恨《うら》みは忘《わす》れたほうがよい。

【出典《しゅってん》】洪自誠《こうじせい》著《ちょ》『菜根譚《さいこんたん》』

これは、『菜根譚《さいこんたん》』に出《で》てくる人《ひと》とうまく付《つ》き合《あ》う秘訣《ひけつ》です。人《ひと》に親切《しんせつ》にしたことを恩着《おんき》せがましくいつでも忘《わす》れないでいるとイヤがられます。逆《ぎゃく》に、迷惑《めいわく》をかけたことをすぐに忘《わす》れて繰《く》り返《かえ》すようではいけません。人《ひと》から親切《しんせつ》にしてもらったら忘《わす》れないようにして次《つぎ》に会《あ》ったときにお礼《れい》を言《い》ったほうがよいですが、イヤなことをされたのをいつまでも恨《うら》みに思《おも》っていてもイイことはありません。

「菜根譚《さいこんたん》」とは
良《よ》く噛《か》めば
硬《かた》い野菜《やさい》の味《あじ》もわかる
ということだワン

覚《おぼ》えておこう

してあげたことはあっさり忘《わす》れ、受《う》けた恩《おん》はきっちり覚《おぼ》えておこう。

47

著作家《ちょさくか》 洪自誠《こうじせい》の教《おし》え3

この世《よ》は決《けっ》して、汚《けが》れてもいないし、苦《くる》しみの海《うみ》でもない。そうさせているのは、人《ひと》の心《こころ》なのだ。

【出典《しゅってん》】洪自誠《こうじせい》著《ちょ》『菜根譚《さいこんたん》』

これは、洪自誠《こうじせい》さんが、「名誉《めいよ》や利益《りえき》にとらわれた人《ひと》たち」が「この世《よ》は汚《けが》れている、苦《くる》しみの海《うみ》だ」と言《い》っているのに対《たい》して言《い》った言葉《ことば》です。「社会《しゃかい》が悪《わる》い」と嘆《なげ》いている人《ひと》も、「世界《せかい》は素晴《すば》らしい」と言《い》っている人《ひと》も、同《おな》じ世界《せかい》に暮《く》らしています。まったく同《おな》じ世界《せかい》でも、感《かん》じ方《かた》によって地獄《じごく》にも天国《てんごく》にもなるのね。同《おな》じ世界《せかい》でも、あなたが見方《みかた》を変《か》えるだけで一瞬《いっしゅん》にして変《か》わるのよ。

覚《おぼ》えておこう

この世界《せかい》を見《み》ているのも、どんな世界《せかい》か決《き》めているのも、自分《じぶん》！

第《だい》4章《しょう》

哲学者《てつがくしゃ》たちの教《おし》え

48

哲学《てつがく》の祖《そ》 タレスの教《おし》え

もっとも難《むずか》しいことは自分自身《じぶんじしん》を知《し》ることであり、もっとも簡単《かんたん》なことは他人《たにん》に忠告《ちゅうこく》することである。

あなたは、「気《き》が早《はや》いね」とか「のんびりしてるね」など、ぜんぜん気《き》がついていなかった自分《じぶん》の性格《せいかく》を友《とも》だちから言《い》われて、はっとしたこと、ありませんか？　自分自身《じぶんじしん》の性格《せいかく》やクセは、意外《いがい》と見《み》えていないものです。逆《ぎゃく》に、他人《たにん》の性格《せいかく》や悪《わる》いところは簡単《かんたん》に目《め》につくので、ついつい忠告《ちゅうこく》してしまいますが、目《め》につくからといってヘタに伝《つた》えると相手《あいて》は気分《きぶん》を害《がい》するかもしれないので注意《ちゅうい》してね。

【タレス】（前《ぜん》625年《ねん》～前《ぜん》547年《ねん》）古代《こだい》ギリシャの哲学者《てつがくしゃ》。最初《さいしょ》の哲学者《てつがくしゃ》といわれている。数学《すうがく》や天文学《てんもんがく》を勉強《べんきょう》して自然《しぜん》を観察《かんさつ》しながら、世界《せかい》がどんな物質《ぶっしつ》でできているかを研究《けんきゅう》した。

覚《おぼ》えておこう

「自分《じぶん》を知《し》ること」と「他人《たにん》を受《う》けいれること」はムズカシい。

タレスのエピソード

あるとき、タレスは「貧乏人《びんぼうにん》のくせに、哲学《てつがく》なんて役《やく》に立《た》たないことをよくやっているな」とバカにされました。怒《おこ》った彼《かれ》は、天文学《てんもんがく》の知識《ちしき》を用《もち》いて、オリーブが豊作《ほうさく》になることを予測《よそく》。その収穫《しゅうかく》が始《はじ》まる前《まえ》に、オリーブ搾《しぼ》り器《き》を買《か》い占《し》めてしまいます。タレスの予測《よそく》したとおり、オリーブは豊作《ほうさく》でしたが、人々《ひとびと》は、実《み》を搾《しぼ》るために、高《たか》いお金《かね》を出《だ》してタレスからオリーブ搾《しぼ》り器《き》を貸《か》してもらうはめになったのです。大儲《おおもう》けをしたタレスは、彼《かれ》をバカにした人《ひと》たちに「お金儲《かねもう》けなど、いつでもできる。ただ、関心《かんしん》がないだけだ」と言《い》い返《かえ》したのでした。

ボクは他人《たにん》から見《み》るとどんな性格《せいかく》なんだろう？
マサルは、本好《ほんず》きで物知《ものし》り。そして、慎重《しんちょう》な性格《せいかく》ね

49

哲学者《てつがくしゃ》

ソクラテスの教《おし》え

大工《だいく》と話《はな》すときは、大工《だいく》の言葉《ことば》を使《つか》え。

ソクラテスは「何《なに》かを相手《あいて》に伝《つた》えたければ、相手《あいて》が理解《りかい》できる言葉《ことば》で話《はな》さなければ伝《つた》わらない」と言《い》っているのです。仲間同士《なかまどうし》でしかわからない言葉《ことば》や、小《ちい》さい子《こ》どもに難《むずか》しい言葉《ことば》で話《はな》しても伝《つた》わりません。相手《あいて》が理解《りかい》できない言葉《ことば》を使《つか》って、あとから「ちゃんと言《い》ったのに」と文句《もんく》を言《い》っても無意味《むいみ》よね。「言《い》ったかどうか」よりも、「ちゃんと伝《つた》えたかどうか」が大切《たいせつ》だと忘《わす》れないでください。

覚《おぼ》えておこう

相手《あいて》がわからない言葉《ことば》は、言《い》っていないのと同《おな》じ！

【ソクラテス】(前《ぜん》469年頃《ねんごろ》～前《ぜん》399年《ねん》)
古代《こだい》ギリシャの哲学者《てつがくしゃ》。ソクラテス自身《じしん》が残《のこ》した書物《しょもつ》はなく、弟子《でし》のプラトンが書《か》いた『ソクラテスの弁明《べんめい》』などでソクラテスについて知《し》ることができる。

50

哲学者《てつがくしゃ》　デモクリトスの教《おし》え

幸福《こうふく》と不幸《ふこう》とは、ともに心《こころ》にあり。

【デモクリトス】（前《ぜん》460年頃《ねんごろ》～前《ぜん》370年《ねん》）古代《こだい》ギリシャの哲学者《てつがくしゃ》。2400年《ねん》も前《まえ》の古代《こだい》、今《いま》の科学《かがく》や数学《すうがく》にも引《ひ》けを取《と》らない理論《りろん》を組《く》み立《た》てた大天才《だいてんさい》。

コップに半分残《はんぶんのこ》ったジュースを見《み》たとき、あなたは、「まだ半分《はんぶん》もある」と思《おも》うかしら？　それとも「もう半分《はんぶん》しかない」って思《おも》うかしら？　まったく同《おな》じ状況《じょうきょう》でも、幸福《こうふく》に思《おも》う人《ひと》と、不幸《ふこう》に思《おも》う人《ひと》がいるということです。デモクリトスさんは、幸福《こうふく》も不幸《ふこう》も、結局《けっきょく》それぞれの人《ひと》の心《こころ》の中《なか》にあると言《い》っています。今《いま》の自分《じぶん》が幸福《こうふく》か不幸《ふこう》かを決《き》めているのは自分自身《じぶんじしん》だということね。

覚《おぼ》えておこう

幸福《こうふく》だと思《おも》えば幸福《こうふく》。不幸《ふこう》だと思《おも》えば不幸《ふこう》！

51

哲学者《てつがくしゃ》プラトンの教《おし》え

自分《じぶん》に打《う》ち勝《か》つことが、もっとも偉大《いだい》な勝利《しょうり》である。

マラソン選手《せんしゅ》は、他《ほか》のランナーと競《きそ》っているように見《み》えて、実《じつ》は自分《じぶん》と闘《たたか》っています。登山家《とざんか》も同《おな》じ。山登《やまのぼ》りの苦《くる》しさから逃《に》げたい自分《じぶん》と闘《たたか》いながら、山頂《さんちょう》を目指《めざ》しています。プラトンさんは、この「自分《じぶん》との闘《たたか》いに勝《か》つこと」が、人間《にんげん》にとって一番尊《いちばんとうと》い勝利《しょうり》だと言《い》っているのね。「遊《あそ》びたいけれど、明日《あす》、テストだから勉強《べんきょう》しなくちゃ」だって、遊《あそ》びたいという自分《じぶん》との立派《りっぱ》な闘《たたか》いなのよ。

覚《おぼ》えておこう

最大《さいだい》のライバルは、自分《じぶん》！

【プラトン】(前《ぜん》427年頃《ねんごろ》～前《ぜん》347年頃《ねんごろ》)
古代《こだい》ギリシャの哲学者《てつがくしゃ》。ソクラテスの弟子《でし》でアリストテレスの先生《せんせい》。プラトンはソクラテスの言葉《ことば》をまとめ、後世《こうせい》に伝《つた》えた。

52

哲学者《てつがくしゃ》アリストテレスの教《おし》え

不幸《ふこう》は、本当《ほんとう》の友人《ゆうじん》でない者《もの》を明《あき》らかにする。

「落《お》ち目《め》のときにも自分《じぶん》のもとを離《はな》れずに味方《みかた》になってくれる人《ひと》こそ、本当《ほんとう》の友《とも》だち」だということね。うわべだけの友《とも》だちは、あなたが不幸《ふこう》に見舞《みま》われたら、知《し》らんぷりをしたり、あなたから離《はな》れたりします。アリストテレスさんは、「人生《じんせい》は、絶好調《ぜっこうちょう》なときにこそ不幸《ふこう》に見舞《みま》われる」とも言《い》っています。調子《ちょうし》に乗《の》っているときこそ失敗《しっぱい》しやすいので、注意《ちゅうい》が必要《ひつよう》ということです。

覚《おぼ》えておこう

ツイてないときに、本当《ほんとう》の友《とも》だちが見《み》つかる。

【アリストテレス】(前《ぜん》384年《ねん》〜前《ぜん》322年《ねん》)
古代《こだい》ギリシャの哲学者《てつがくしゃ》。プラトンに弟子《でし》入《い》りして、政治《せいじ》、天体《てんたい》、自然《しぜん》、詩《し》、演劇《えんげき》などを学《まな》び、あらゆる学問《がくもん》の基礎《きそ》をつくった。「諸学《しょがく》の父《ちち》」といわれる。

53

哲学者《てつがくしゃ》ディオゲネスの教《おし》え

金持《かねも》ちは、財産《ざいさん》を持《も》っているのではない。財産《ざいさん》のほうが、彼《かれ》を所有《しょゆう》しているのだ。

ディオゲネスは、「お金第一《かねだいいち》」になってしまっている人《ひと》は、「お金《かね》に支配《しはい》されてしまっている」と言《い》っているのね。お金《かね》をムダづかいしないことはよいことです。でも、あまりにお金《かね》を貯《た》めることに夢中《むちゅう》になると、1円《えん》のお金《かね》もケチってしまい、楽《たの》しくなくなります。1万円札《まんえんさつ》だって、使《つか》わなければただの紙切《かみき》れ。お金《かね》は必要《ひつよう》なことに使《つか》ってこそ価値《かち》を発揮《はっき》するものだということを忘《わす》れないようにね。

【ディオゲネス】(前《ぜん》412年《ねん》～前《ぜん》323年《ねん》)
古代《こだい》ギリシャの哲学者《てつがくしゃ》。「犬《いぬ》のディオゲネス」と呼《よ》ばれた。動物《どうぶつ》のような生活《せいかつ》を理想《りそう》として、地位《ちい》や物《もの》を求《もと》めずに、家《いえ》を捨《す》てて大樽《おおだる》の中《なか》で暮《く》らしたといわれる。

ディオゲネスのエピソード

ディオゲネスは家《いえ》を持《も》たず、樽《たる》の中《なか》に寝《ね》そべって自由《じゆう》に暮《く》らしていました。ある日《ひ》、アレクサンダー大王《だいおう》が、彼《かれ》のもとに来《き》て「何《なに》か望《のぞ》みはないか？」と尋《たず》ねたとき、ディオゲネスは、「そこに立《た》たれると陽《ひ》が当《あ》たらないからどいてくれ」と言《い》ったそうです。これには大王《だいおう》もすっかりまいって、帰《かえ》り道《みち》でおつきの者《もの》に「私《わたし》がアレクサンダーでなければディオゲネスになりたい」と、ディオゲネスへのあこがれを語《かた》ったと伝《つた》わっています。

そんなディオゲネスは庶民《しょみん》の人気《にんき》が高《たか》く、樽《たる》が壊《こわ》れると、市民《しみん》が新《あたら》しい樽《たる》を買《か》ってくれたのだそうです。

お金《かね》に支配《しはい》されないように気《き》をつけようっと
支配《しはい》されてしまうほど、お金《かね》は持《も》っていないけどね

覚《おぼ》えておこう

お金《かね》は「使《つか》うもの」。「使《つか》われるもの」ではない！

54

思想家《しそうか》 マキャベリの教《おし》え

相手《あいて》を追《お》いつめすぎてはいけない。

【出典《しゅってん》】マキャベリ著《ちょ》『君主論《くんしゅろん》』

マキャベリさんは「絶望《ぜつぼう》してしまうほどに相手《あいて》を追《お》い込《こ》むのは、考《かんが》えが深《ふか》い人《ひと》のやることではない」と言《い》っています。どんなときも、相手《あいて》が観念《かんねん》して負《ま》けを認《みと》めたら、ほどほどでとめておいたほうがよいということね。やりすぎてしまうと、相手《あいて》が開《ひら》き直《なお》ったり、ヤケを起《お》こしたりして思《おも》わぬ反撃《はんげき》をしてくるかもしれません。勝《か》つことはよくても、「勝《か》ちすぎ」は逆効果《ぎゃくこうか》になってしまうのね。

覚《おぼ》えておこう

どんなときも、相手《あいて》を絶望《ぜつぼう》させるなかれ。

【ニッコロ・マキャベリ】(1469年《ねん》～1527年《ねん》)イタリアの思想家《しそうか》。外交官《がいこうかん》として様々《さまざま》な国《くに》の政治《せいじ》を見《み》ていた経験《けいけん》から、理想《りそう》のリーダーとはどのような人間《にんげん》かを研究《けんきゅう》した。代表作《だいひょうさく》に『君主論《くんしゅろん》』がある。

55

哲学者《てつがくしゃ》モンテーニュの教《おし》え

いつかできることは、すべて今日《きょう》でもできる。

【出典《しゅってん》】モンテーニュ著《ちょ》『エセー』

【ミシェル・ド・モンテーニュ】（1533年《ねん》～1592年《ねん》）フランスの哲学者《てつがくしゃ》。39歳《さい》から亡《な》くなる59歳《さい》まで書《か》き続《つづ》けた『エセー』は人間《にんげん》の生《い》き方《かた》を深《ふか》く見《み》つめたもので、今《いま》なお多《おお》くの人《ひと》に感動《かんどう》を与《あた》えている。

今日《きょう》、疲《つか》れてしまったから、「明日《あす》でもできること」を明日《あす》にまわすのは悪《わる》いことではないと思《おも》います。でも、「いつかやる」という考《かんが》え方《かた》は、落《お》とし穴《あな》です。ほら、「夏休《なつやす》みは長《なが》いから、宿題《しゅくだい》はいつかやる」と考《かんが》えていると、あっという間《ま》に夏休《なつやす》み最後《さいご》の日《ひ》を迎《むか》えてしまうわよね。「いつかやろう」と思《おも》っていることは、やろうと思《おも》えば今《いま》すぐにできることです。今《いま》、やってしまいましょう！

覚《おぼ》えておこう

ヤル気《き》さえあれば、いつでもスタートできる！

56

哲学者《てつがくしゃ》 デカルトの教《おし》え1

よい書物《しょもつ》を読《よ》むことは、過去《かこ》のもっとも優《すぐ》れた人《ひと》たちと会話《かいわ》をするようなものである。

【出典《しゅってん》】デカルト著《ちょ》『方法序説《ほうほうじょせつ》』

【ルネ・デカルト】(1596年《ねん》～1650年《ねん》)
フランスの哲学者《てつがくしゃ》、数学者《すうがくしゃ》、自然科学者《しぜんかがくしゃ》。解析幾何学《かいせききかがく》の発見《はっけん》をする一方《いっぽう》、近代哲学《きんだいてつがく》の祖《そ》としても名《な》を残《のこ》す。

タイムマシンがなければ、昔《むかし》の偉人《いじん》たちと直接《ちょくせつ》に話《はなし》をすることはできないわよね。でも、その人《ひと》が書《か》いた本《ほん》には、それを書《か》いた人《ひと》の経験《けいけん》したことや学《まな》んだことがまとめられています。ですから、デカルトさんは、本《ほん》を読《よ》むということは、本《ほん》を残《のこ》した偉人《いじん》たちと話《はなし》をすることと同《おな》じだと言《い》っているのです。マンガもいいけれど、昔《むかし》から残《のこ》っている優《すぐ》れた本《ほん》も、たまには読《よ》んでみてね。

覚《おぼ》えておこう

読書《どくしょ》とは、「偉人《いじん》の知恵《ちえ》」をいただくこと。

57

哲学者《てつがくしゃ》 デカルトの教《おし》え2

難問《なんもん》は、分割《ぶんかつ》せよ。

【出典《しゅってん》】デカルト著《ちょ》『方法序説《ほうほうじょせつ》』

「どんなに難《むずか》しい問題《もんだい》でも、それを解《と》くために必要《ひつよう》なところまでバラバラにして考《かんが》えれば解決策《かいけつさく》が見《み》つかる」ということです。たとえば、「明日《あす》、友《とも》だちと出《で》かける約束《やくそく》があるのに、明日《あす》までにやらなくてはいけないことを大量《たいりょう》に忘《わす》れていた」というときは、まず、「約束《やくそく》を延期《えんき》してもらう」。次《つぎ》に、「やるべきことを誰《だれ》かに手伝《てつだ》ってもらう」など、問題《もんだい》を分割《ぶんかつ》して一《ひと》つずつ解決《かいけつ》していけばいいのね。

覚《おぼ》えておこう

大《おお》きな問題《もんだい》は、バラして小《ちい》さな問題《もんだい》に変《か》える。

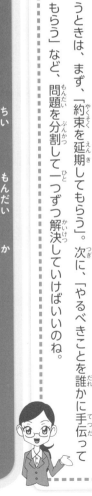

58

哲学者《てつがくしゃ》ホッブズの教《おし》え

勇気《ゆうき》を出《だ》さないと、チャンスを逃《のが》す。

【原文《げんぶん》】小心《しょうしん》は人々《ひとびと》を不決断《ふけつだん》にし、その結果《けっか》、行為《こうい》の機会《きかい》と最大《さいだい》の好機《こうき》を失《うしな》わせる。（『リヴァイアサン』）

人間《にんげん》は、失敗《しっぱい》を恐《おそ》れてしまうと、思《おも》い切《き》りが悪《わる》くなります。そうすると、一歩《いっぽ》を踏《ふ》み出《だ》せなくなって、チャンスを逃《のが》してしまうのです。失敗《しっぱい》を恐《おそ》れて行動《こうどう》せず、あとから「あのときやっておけばよかった」と後悔《こうかい》するくらいなら、思《おも》い切《き》ってやってみて、もし、失敗《しっぱい》しても、「いい経験《けいけん》になった」と思《おも》ったほうが、成長《せいちょう》につながります。目《め》の前《まえ》のチャンスをつかむコツはちょっとした勇気《ゆうき》なのよ。

覚《おぼ》えておこう

失敗《しっぱい》なんて、ただの経験《けいけん》。恐《おそ》れる必要《ひつよう》なし！

【トマス・ホッブズ】(1588年《ねん》～1679年《ねん》)イギリスの哲学者《てつがくしゃ》。ルールがないと、人《ひと》は自分《じぶん》を守《まも》るために相手《あいて》を攻撃《こうげき》して、戦争《せんそう》ばかりになる。だから国王《こくおう》や制度《せいど》が必要《ひつよう》なのだと考《かんが》えた(『社会契約説《しゃかいけいやくせつ》』)。

59

哲学者《てつがくしゃ》・思想家《しそうか》・数学者《すうがくしゃ》 **パスカル**の教《おし》え

知恵《ちえ》は知識《ちしき》にまさる。

【出典《しゅってん》】パスカル著《ちょ》『パンセ』

【ブレーズ・パスカル】(1623年《ねん》～1662年《ねん》) フランスの数学者《すうがくしゃ》、哲学者《てつがくしゃ》。「密閉《みっぺい》された容器内《ようきない》の流体《りゅうたい》は、ある一点《いってん》に受《う》けた力《ちから》が、そのまますべての部分《ぶぶん》に伝《つた》わる」というパスカルの原理《げんり》を発見《はっけん》。

何《なに》か困《こま》った問題《もんだい》が発生《はっせい》したときは、教科書《きょうかしょ》に載《の》っていることを丸暗記《まるあんき》しただけの「知識《ちしき》」よりも、トンチが利《き》いた発想《はっそう》や、斬新《ざんしん》なアイデアなどの「知恵《ちえ》」が解決《かいけつ》のきっかけになります。パスカルさんは、「知識《ちしき》ばかりの頭《あたま》デッカチより、頭《あたま》がやわらかくて機転《きてん》が利《き》くほうがよい」と言《い》っているのね。ただ、解決《かいけつ》のアイデアを出《だ》すためにはある程度《ていど》の知識《ちしき》があったほうがよいことも忘《わす》れないでね。

覚《おぼ》えておこう

「知識《ちしき》」を「知恵《ちえ》」に変《か》えられる人《ひと》が、知恵者《ちえしゃ》。

60

哲学者《てつがくしゃ》 スピノザの教《おし》え

人《ひと》が「不可能《ふかのう》だ」と思《おも》うのは、「やりたくない」と決《き》めているときだ。

たとえば、「明日《あす》までにできる?」って聞《き》かれたとき、あなたが「そんなのできない」と答《こた》えたときは、胸《むね》に手《て》を当《あ》てて、よく考《かんが》えてみてください。あなたは、心《こころ》の底《そこ》から「不可能《ふかのう》」だと思《おも》っていますか? もしかしたら「できない」と言《い》うことで「やりたくない」という本心《ほんしん》を隠《かく》して、正当化《せいとうか》しているだけではありませんか? 人《ひと》は自分《じぶん》の心《こころ》に言《い》い訳《わけ》をするものだと、スピノザさんは言《い》っているのね。

覚《おぼ》えておこう

あなたが言《い》った「できない」は本当《ほんとう》の「できない」ですか?

【バールーフ・デ・スピノザ】(1632年《ねん》～1677年《ねん》)オランダの哲学者《てつがくしゃ》。歴史上《れきしじょう》最《もっと》も過激《かげき》な思想家《しそうか》といわれている。キリスト教《きょう》に反対《はんたい》したため追《お》われ続《つづ》けた。それでも引《ひ》っ越《こ》しを繰《く》り返《かえ》しながら、本《ほん》を書《か》いた。

61

哲学者《てつがくしゃ》ロックの教《おし》え

知《し》ることは、見《み》ること。

知識《ちしき》は、人《ひと》から聞《き》くよりも実際《じっさい》に自分《じぶん》で経験《けいけん》するほうが生《い》きたものになるということです。日本《にほん》にも、「百聞《ひゃくぶん》は一見《いっけん》に如《し》かず」（他人《たにん》から何度《なんど》も聞《き》くより、一度《いちど》自分《じぶん》の目《め》で見《み》るほうがよくわかる）ということわざがあるわよね。どんなことも、人《ひと》から話《はなし》を聞《き》いただけでわかったような気《き》になるのではなく、自分《じぶん》の目《め》で見《み》て、体《からだ》で体験《たいけん》すると、知識《ちしき》ががぜん深《ふか》まります。

覚《おぼ》えておこう

「体験《たいけん》」は、「生《い》きた知識《ちしき》」になる。

【ジョン・ロック】（1632年《ねん》～1704年《ねん》）イギリスの哲学者《てつがくしゃ》。人《ひと》は自《みずか》らの経験《けいけん》を積《つ》み重《かさ》ねることで、少《すこ》しずつ進歩《しんぽ》していくのだと考《かん》えた。「イギリス経験論《けいけんろん》の父《ちち》」といわれている。

62

哲学者《てつがくしゃ》 モンテスキューの教《おし》え

偉大《いだい》なことを成《な》し遂《と》げる人《ひと》は、つねに大胆《だいたん》な冒険者《ぼうけんしゃ》である。

【シャルル・ド・モンテスキュー】(1689年《ねん》〜1755年《ねん》)フランスの哲学者《てつがくしゃ》、法律家《ほうりつか》。一人《ひとり》の国王《こくおう》に与《あた》えられていた権力《けんりょく》を三《みっ》つに分《わ》けて、お互《たが》いに監視《かんし》し合《あ》う政治《せいじ》の仕組《しく》みを考《かんが》えた。代表作《だいひょうさく》に『法《ほう》の精神《せいしん》』がある。

高《たか》い山《やま》へ登《のぼ》ったり、ジャングルの奥地《おくち》を探検《たんけん》したりするだけが冒険《ぼうけん》ではありません。誰《だれ》もが「できっこない」と思《おも》っている分野《ぶんや》への挑戦《ちょうせん》や、新《あたら》しい発明《はつめい》や研究《けんきゅう》に取《と》り組《く》むことも立派《りっぱ》な冒険《ぼうけん》です。モンテスキューさんのこの言葉《ことば》は、尻込《しりご》みせずに挑戦《ちょうせん》して、結果《けっか》を出《だ》そうとして頑張《がんば》る人《ひと》たちのことを「冒険家《ぼうけんか》」として讃《たた》えているのね。先生《せんせい》は、あなたにはぜひ、勇気《ゆうき》ある冒険者《ぼうけんしゃ》になってほしいわ。

覚《おぼ》えておこう

新《あたら》しいことにチャレンジする冒険者《ぼうけんしゃ》になれ！

63

哲学者《てつがくしゃ》ルソーの教《おし》え

人《ひと》は、常《つね》に幸福《こうふく》を求《もと》めるが、常《つね》に幸福《こうふく》に気《き》づかない。

人《ひと》は誰《だれ》でも「幸《しあわ》せになりたい」と思《おも》っています。でも、考《かんが》えてみると、家族《かぞく》がいて、住《す》む家《いえ》があって、毎日《まいにち》、ごはんが食《た》べられるだけでもすでに幸《しあわ》せです。それに学校《がっこう》に行《い》けて、友《とも》だちがいて、勉強《べんきょう》することができる。それらは、それができない国《くに》に生《う》まれた子《こ》どもから見《み》れば、全部《ぜんぶ》、幸《しあわ》せなこと。実《じつ》は、幸《しあわ》せとは、もう、すでに身近《みぢか》にあるものなのね。

【ジャン=ジャック・ルソー】(1712年《ねん》〜1778年《ねん》) フランスの哲学者《てつがくしゃ》。教育論《きょういくろん》の『エミール』や、個人《こじん》のための国家《こっか》ということを説《と》いた『社会契約論《しゃかいけいやくろん》』は、フランス革命《かくめい》に大《おお》きな影響《えいきょう》を与《あた》えた。

覚《おぼ》えておこう

幸《しあわ》せは、探《さが》すものではなく、気《き》づくもの。

64

哲学者《てつがくしゃ》 カントの教《おし》え

人生《じんせい》の苦労《くろう》を持《も》ちこたえるには3つのものが役《やく》に立《た》つ。希望《きぼう》・睡眠《すいみん》・笑《わら》い。

【出典《しゅってん》】カント著《ちょ》『判断力批判《はんだんりょくひはん》』

カントは、苦《くる》しいときも、この3つで頑張《がんば》れると言《い》っています。たとえば、外国語《がいこくご》の勉強《べんきょう》も「将来《しょうらい》、その国《くに》で暮《く》らす」という希望《きぼう》があればツラくなくなるわよね。心配《しんぱい》ごとがあるときは、ひと晩《ばん》グッスリ眠《ねむ》ると、少《すこ》し気《き》が楽《らく》になります。そして、苦《くる》しいときも、友《とも》だちと笑《わら》って話《はなし》をしたり、お笑《わら》い番組《ばんぐみ》を見《み》たりすると、苦《くる》しみがまぎれることがあります。ツラいときは、どれかを試《ため》してみてね。

【イマヌエル・カント】(1724年《ねん》～1804年《ねん》) ドイツの哲学者《てつがくしゃ》。大学《だいがく》の先生《せんせい》として哲学《てつがく》、地理学《ちりがく》、自然学《しぜんがく》、人間学《にんげんがく》などを教《おし》えながら、本《ほん》や論文《ろんぶん》を書《か》いた。たくさんの話題《わだい》を生《い》き生《い》きと語《かた》る、熱心《ねっしん》な先生《せんせい》だった。

覚《おぼ》えておこう

希望《きぼう》を胸《むね》に抱《いだ》いて、よく眠《ねむ》り、よく笑《わら》おう！

カントのエピソード

カントは、生《う》まれた町《まち》の名《な》から「ケーニヒスベルクの哲人《てつじん》」と呼《よ》ばれました。ケーニヒスベルクでのカントの生活《せいかつ》はとても規則正《きそくただ》しいもので、勤《つと》め先《さき》の大学《だいがく》から帰《かえ》ると、いつも同《おな》じ時間《じかん》に同《おな》じルートで散歩《さんぽ》をしました。あまりにも時間《じかん》に正確《せいかく》なので、町《まち》の人《ひと》たちは、散歩《さんぽ》するカントの姿《すがた》を見《み》て、自分《じぶん》の時計《とけい》の狂《くる》いを直《なお》したと言《い》われています。

あるときは、いつもの時間《じかん》にカントが散歩《さんぽ》に出《で》なかっただけで「カントさんに、何《なに》かあったのでは？」と騒《さわ》ぎになりました。その日《ひ》、カントは、読《よ》んでいる本《ほん》に夢中《むちゅう》になって、散歩《さんぽ》に行《い》くのを忘《わす》れていたのでした。

アスカちゃんは先生《せんせい》になる夢《ゆめ》があるから元気《げんき》なんだね
そうね、だから勉強《べんきょう》もツラくないわ

65

詩人《しじん》・作家《さっか》 ゲーテの教《おし》え1

人間《にんげん》の最大《さいだい》の罪《つみ》は、不機嫌《ふきげん》である。

不機嫌《ふきげん》な人《ひと》がそばにいると、こっちまでイヤな気持《きも》ちになってきます。それに、自分《じぶん》が不機嫌《ふきげん》なときは、とてもイライラして、よい考《かんが》えも出《で》てきません。怒《おこ》って、何《なに》かを床《ゆか》に投《な》げて壊《こわ》してしまって、あとから後悔《こうかい》したこと、ありませんか？　このように、「不機嫌《ふきげん》」は、まわりにも、自分《じぶん》にもいいことは一《ひと》つもありません。ゲーテさんが、「人間《にんげん》にとって最大《さいだい》の罪《つみ》」とまでいう意味《いみ》がわかる気《き》がするわね。

覚《おぼ》えておこう

「不機嫌《ふきげん》」はマイナスのみ。何《なに》も解決《かいけつ》しない。

【ヨハン・ヴォルフガング・フォン・ゲーテ】（1749年《ねん》～1832年《ねん》）ドイツの詩人《しじん》、作家《さっか》。代表作《だいひょうさく》は小説《しょうせつ》『若《わか》きヴェルテルの悩《なや》み』、詩劇《しげき》『ファウスト』など。

66

詩人《しじん》・作家《さっか》 ゲーテの教《おし》え2

うまく使《つか》えば、時間《じかん》はいつも十分《じゅうぶん》にある。

時間《じかん》は、誰《だれ》でも1日《にち》24時間《じかん》。なのに、「時間《じかん》がない、時間《じかん》がない」って言《い》っている人《ひと》もいるし、逆《ぎゃく》に、クラブ活動《かつどう》と勉強《べんきょう》を両立《りょうりつ》させているのに、ぜんぜん忙《いそが》しそうにしていない人《ひと》もいます。これは、時間《じかん》の使《つか》い方《かた》がヘタな人《ひと》とうまい人《ひと》の違《ちが》いです。時間《じかん》の使《つか》い方《かた》がうまい人《ひと》は、何《なに》ごともダラダラやらないで集中《しゅうちゅう》したり、ちょっとした空《あ》き時間《じかん》を活《い》かしたりして、時間《じかん》を有効《ゆうこう》に使《つか》っているのね。

覚《おぼ》えておこう

時間《じかん》の使《つか》い方《かた》がうまい人《ひと》のマネをしよう!

67

哲学者《てつがくしゃ》ショーペンハウアーの教《おし》え

富《とみ》は海水《かいすい》に似《に》ている。飲《の》めば飲《の》むほど、のどが渇《かわ》く。

【出典《しゅってん》】ショーペンハウアー著《ちょ》『パレルガとパラリポーメナ』

お金《かね》は、欲《ほ》しがれば、きりがありません。100万円《まんえん》持《も》っていれば200万円《まんえん》欲《ほ》しくなるし、200万円《まんえん》持《も》っていれば300万円《まんえん》欲《ほ》しくなるものです。ですから、お金《かね》に執着《しゅうちゃく》すると、いつまでたっても幸《しあわ》せな気持《きも》ちになれなくなってしまいます。ショーペンハウアーさんのこの言葉《ことば》の続《つづ》きは、「名声《めいせい》についても同《おな》じことがいえる」。つまり、「有名《ゆうめい》になりたい」という思《おも》いも果《は》てしないということね。

覚《おぼ》えておこう

富《とみ》と名声《めいせい》は、ほどほどでよい。

【アルトゥル・ショーペンハウアー】
(1788年《ねん》～1860年《ねん》) ドイツの哲学者《てつがくしゃ》。人間《にんげん》には、何《なに》かを手《て》に入《い》れたいという欲望《よくぼう》がある。しかし、かなわないことが多《おお》い。だから、人生《じんせい》とは苦《くる》しいことばかりだと考《かんが》えた。

68

哲学者《てつがくしゃ》・教師《きょうし》 アランの教《おし》え

いかなる職業《しょくぎょう》でも自分《じぶん》が支配《しはい》するかぎり愉快《ゆかい》であり、服従《ふくじゅう》するかぎり不愉快《ふゆかい》である。

【出典《しゅってん》】アラン著《ちょ》『幸福論《こうふくろん》』

【アラン】(1868年《ねん》～1951年《ねん》)本名《ほんみょう》、エミール=オーギュスト・シャルティエ。フランスの哲学者《てつがくしゃ》。幸《しあわ》せは自分《じぶん》でつくるものだと説《と》き、世界中《せかいじゅう》の人《ひと》に支持《しじ》された。

アランさんは、「どんな仕事《しごと》も、他人《たにん》からやらされているとつまらないし、自分《じぶん》から進《すす》んでやると面白《おもしろ》い」と言《い》っているのね。これ、仕事《しごと》だけではなく、スポーツの練習《れんしゅう》や勉強《べんきょう》も同《おな》じ。監督《かんとく》から言《い》われて練習《れんしゅう》するのと、うまくなりたいと思《おも》って自主《じしゅ》練習《れんしゅう》するのでは、ヤル気《き》が違《ちが》います。勉強《べんきょう》も、先生《せんせい》の一方的《いっぽうてき》な授業《じゅぎょう》より、自習《じしゅう》で問題集《もんだいしゅう》を解《と》くほうが理解《りかい》できて進《すす》みが早《はや》いことがあるでしょう。

覚《おぼ》えておこう

「やらされる」はツマラナい。「やってやる」はオモシロい。

69

哲学者《てつがくしゃ》 サルトルの教《おし》え

一人《ひとり》ひとりの人間《にんげん》が、究極《きゅうきょく》の絶対的《ぜったいてき》な自由《じゆう》を持《も》っている。

人《ひと》は誰《だれ》でも自由《じゆう》です。それは絶対的《ぜったいてき》なものだとサルトルさんは言《い》っています。でも、自由《じゆう》には「責任《せきにん》」がともなうことを忘《わす》れないでください。あなたが自由《じゆう》なのと同《おな》じように他《ほか》の人《ひと》も自由《じゆう》ですから、他人《たにん》の自由《じゆう》を奪《うば》ってはいけません。それに、好《す》きなことを自由《じゆう》にするためには、自分《じぶん》でお金《かね》を稼《かせ》がなければならないわよね。そして、私《わたし》たちは「何《なに》をして働《はたら》くか選《えら》ぶ自由《じゆう》」も持《も》っているのです。

【ジャン=ポール・サルトル】(1905年《ねん》〜1980年《ねん》)フランスの哲学者《てつがくしゃ》、作家《さっか》。教師《きょうし》でありながら、政治的《せいじてき》な立場《たちば》をはっきりと示《しめ》した雑誌《ざっし》をつくった。行動《こうどう》する知識人《ちしきじん》として、他《ほか》の作家《さっか》や思想家《しそうか》たちに影響《えいきょう》を与《あた》えた。

サルトルのエピソード

サルトルは、ノーベル文学賞《ぶんがくしょう》の受賞《じゅしょう》が決《き》まったとき、その受《う》け取《と》りを断《ことわ》っています。その理由《りゆう》について彼《かれ》は「自分《じぶん》が死《し》ぬ前《まえ》に神聖化《しんせいか》されてしまうことを望《のぞ》まない」と言《い》っています。つまり、「文学者《ぶんがくしゃ》としてまだ頂点《ちょうてん》に達《たっ》していないのに、神聖化《しんせいか》されてしまって下《くだ》り坂《ざか》になってしまうより、まだ頂点《ちょうてん》には達《たっ》していないけれど、それを目指《めざ》して前進《ぜんしん》を続《つづ》ける自分《じぶん》でありたい」と主張《しゅちょう》したのです。ノーベル賞《しょう》をもらわないなんて、もったいない話《はなし》ですが、サルトルは、賞《しょう》をもらうことで、文学者《ぶんがくしゃ》としての自由《じゆう》を奪《うば》われてしまうのがいやだったのかもしれませんね。

覚《おぼ》えておこう

自由《じゆう》に感謝《かんしゃ》して、それを活《い》かそう！

僕《ぼく》は、好《す》きな本《ほん》を読《よ》める自由《じゆう》が嬉《うれ》しい
私《わたし》は、将来《しょうらい》、先生《せんせい》を目指《めざ》せる自由《じゆう》が嬉《うれ》しいわ

70

哲学者《てつがくしゃ》ニーチェの教《おし》え

人《ひと》が意見《いけん》に反対《はんたい》するときは、たいがい、その伝《つた》え方《かた》が気《き》にくわないときだ。

【出典《しゅってん》】ニーチェ著《ちょ》『人間的《にんげんてき》な、あまりに人間的《にんげんてき》な』

「人《ひと》に賛成《さんせい》してもらいたければ、言《い》い方《かた》に気《き》をつけましょう」ということです。あなたも親《おや》から「早《はや》く宿題《しゅくだい》をしなさい！」って強《つよ》く言《い》われたらカチンときて、自分《じぶん》からやろうと思《おも》っていてもヤル気《き》がなくなってしまうわよね。だから、友《とも》だちに何《なに》かやってもらいたいときは、「早《はや》くやれよ！」と強《つよ》く言《い》うより、「やってくれると嬉《うれ》しい」なんて言《い》えば、相手《あいて》は気持《きも》ちよくやってくれるものなのよ。

覚《おぼ》えておこう

言《い》い方《かた》ひとつで、人《ひと》は賛成《さんせい》してくれる。

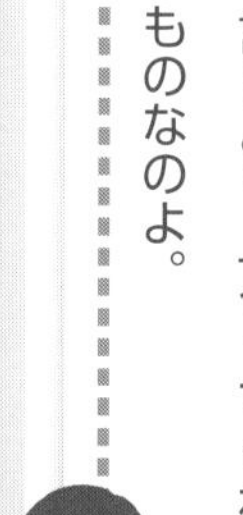

【フリードリヒ・ニーチェ】(1844年《ねん》〜1900年《ねん》)ドイツの哲学者《てつがくしゃ》。幼《おさな》い頃《ころ》から優《すぐ》れ、27歳《さい》で大学《だいがく》の先生《せんせい》になった。しかし、研究内容《けんきゅうないよう》を本《ほん》にしたところ誰《だれ》からも理解《りかい》されずに、心《こころ》の病気《びょうき》に苦《くる》しみ、亡《な》くなった。

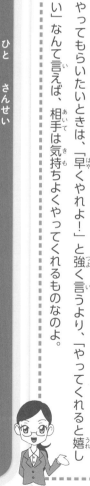

第《だい》5章《しょう》

その他《た》のマスターの教《おし》え

71

皇族《こうぞく》・政治家《せいじか》 聖徳太子《しょうとくたいし》(厩戸皇子《うまやどのおうじ》)の教《おし》え

大切《たいせつ》なことは、1人《り》で決《き》めてはいけない。

【原文《げんぶん》】夫《そ》れ事《こと》独《ひと》り断《さだ》むべからず。

【聖徳太子《しょうとくたいし》】(574年《ねん》〜622年《ねん》)飛鳥時代《あすかじだい》の皇族《こうぞく》、政治家《せいじか》。推古天皇《すいこてんのう》の摂政《せっしょう》となり、遣《けん》隋使《ずいし》を派遣《はけん》し、大陸《たいりく》の仏教《ぶっきょう》をはじめとする文化《ぶんか》や制度《せいど》を取《と》り入《い》れた。

これは、聖徳太子《しょうとくたいし》が作《つく》ったと言《い》われる「憲法十七条《けんぽうじゅうしちじょう》」の最後《さいご》、第十七条《だいじゅうしちじょう》に出《で》てくる言葉《ことば》です。些細《ささい》なことなら自分《じぶん》で決《き》めてもいいですが、大事《だいじ》なことを、自分《じぶん》だけの考《かんが》えで決《き》めると判断《はんだん》を誤《あやま》ってしまうかもしれません。ほら、たとえば、お小遣《こづか》いをはたいてゲームを買《か》おうと思《おも》ったとき。買《か》う前《まえ》に友《とも》だちに聞《き》けば、「あのゲームはつまらないよ」って教《おし》えてくれるかもしれないわよね。

覚《おぼ》えておこう

大切《たいせつ》なことは、人《ひと》のアドバイスを参考《さんこう》にして決《き》めよう。

72

詩人《しじん》・思想家《しそうか》・劇作家《げきさっか》　シラーの教《おし》え

悩《なや》みごとは、人《ひと》に話《はな》すと楽《らく》になる。

【出典《しゅってん》】シラー著《ちょ》『ドン・カルロス』

シラーさんは、劇《げき》の中《なか》に「重荷《おもに》をいだいた胸《むね》は打《う》ち明《あ》ければ軽《かる》くなる」と書《か》いています。悩《なや》みごとがあるときは、「誰《だれ》に相談《そうだん》してもムダ」なんて考《かんが》えないで、友《とも》だちや頼《たよ》りになる人《ひと》にダメもとで打《う》ち明《あ》けてみてください。具体的《ぐたいてき》な解決《かいけつ》にはならないかもしれませんが、不思議《ふしぎ》なことに、聞《き》いてもらうだけで心《こころ》が楽《らく》になるものよ。それに、話《はな》すことで問題《もんだい》が整理《せいり》されて、解決策《かいけつさく》が見《み》つかることもあります。

覚《おぼ》えておこう

悩《なや》みごとは、心《こころ》に溜《た》めずに、誰《だれ》かに聞《き》いてもらおう！

【フリードリヒ・フォン・シラー】(1759年《ねん》〜1805年《ねん》）ドイツの詩人《しじん》、思想家《しそうか》、劇作家《げきさっか》。自由《じゆう》を求《もと》める人々《ひとびと》の心《こころ》を表現《ひょうげん》した演劇作品《えんげきさくひん》で知《し》られている。ドイツの教科書《きょうかしょ》には今《いま》もシラーの詩《し》が載《の》っており、子《こ》どもたちが暗唱《あんしょう》している。

73

学者《がくしゃ》・思想家《しそうか》 佐久間象山《さくましょうざん》の教《おし》え

失敗《しっぱい》するから成功《せいこう》がある。

成功《せいこう》の裏《うら》には
たくさんの失敗《しっぱい》が
あるんだワン

行動《こうどう》を起《お》こせば、失敗《しっぱい》するかもしれません。でも、行動《こうどう》を起《お》こさないかぎり、成功《せいこう》することもないわよね。日本《にほん》にも「失敗《しっぱい》は成功《せいこう》のもと」ということわざがあります。失敗《しっぱい》したっていい。大切《たいせつ》なのは、失敗《しっぱい》したとき、すぐにあきらめないことです。「発明王《はつめいおう》」と呼《よ》ばれたエジソンも、人《ひと》から実験《じっけん》の失敗《しっぱい》について聞《き》かれたとき、「失敗《しっぱい》ではない。うまくいかない方法《ほうほう》を発見《はっけん》しただけだ」と言《い》っています。

【佐久間象山《さくましょうざん》】(1811年《ねん》～1864年《ねん》)日本《にほん》の思想家《しそうか》。幕末《ばくまつ》、開国派《かいこくは》の代表的人物《だいひょうてきじんぶつ》。外国《がいこく》の科学技術《かがくぎじゅつ》を勉強《べんきょう》して、ワイン造《づく》り、鉱山《こうざん》・ガラス工場《こうじょう》の建設《けんせつ》などに次々《つぎつぎ》取《と》り組《く》み、日本《にほん》の近代化《きんだいか》を進《すす》めた。

佐久間象山《さくましょうざん》のエピソード

佐久間象山《さくましょうざん》は、有名《ゆうめい》な吉田松陰《よしだしょういん》や勝海舟《かつかいしゅう》の師匠《ししょう》にあたる人《ひと》です。独学《どくがく》で英語《えいご》やオランダ語《ご》を学《まな》び、ペリーが日本《にほん》にやってくる前《まえ》から、「日本《にほん》は外国《がいこく》に負《ま》けない兵力《へいりょく》を持《も》つべきだ」と考《かんが》えていました。

そんな象山《しょうざん》は、あるとき、現在《げんざい》の北海道《ほっかいどう》にあった松前藩《まつまえはん》から「大砲《たいほう》をつくって欲《ほ》しい」との依頼《いらい》を受《う》けます。しかし、西洋《せいよう》の本《ほん》を参考《さんこう》にしてつくった大砲《たいほう》は、ためし打《う》ちのときにすべて爆発《ばくはつ》してしまい、大失敗《だいしっぱい》。

このとき、お金《かね》を出《だ》していた松前藩《まつまえはん》から文句《もんく》を言《い》われた象山《しょうざん》さんが、言《い》い返《かえ》した言葉《ことば》が「失敗《しっぱい》するから成功《せいこう》がある」だったのです。

覚《おぼ》えておこう

「失敗《しっぱい》」は、「成功《せいこう》」へと続《つづ》く階段《かいだん》。

失敗《しっぱい》を恐《おそ》れない気持《きも》ちって大切《たいせつ》だね
失敗《しっぱい》を活《い》かして、成功《せいこう》するまで続《つづ》ければいいのね

74

思想家《しそうか》・教育者《きょういくしゃ》
吉田松陰《よしだしょういん》の教《おし》え

すべては、志《こころざし》を立《た》てることから始《はじ》まる。

【原文《げんぶん》】志《こころざし》を立《た》てて以《もっ》て万事《ばんじ》の源《みなもと》と為《な》す。

あなたは将来《しょうらい》、何《なに》になりたいかしら？　スポーツ選手《せんしゅ》？　お医者《いしゃ》さん？　それとも、美容師《びようし》さんかしら？　何《なに》を目指《めざ》すにしても、その夢《ゆめ》の実現《じつげん》のためには「○○になりたい！」という志《こころざし》を立《た》てるのがスタートです。吉田松陰《よしだしょういん》さんは、残念《ざんねん》ながら志《こころざし》を果《は》たすことなく、たった29歳《さい》で亡《な》くなってしまいました。あなたは、志《こころざし》を持《も》って、その夢《ゆめ》を追《お》いかけることができるのですから、精一杯《せいいっぱい》に夢《ゆめ》を追《お》いかけてね！

【吉田松陰《よしだしょういん》】(1830年《ねん》～1859年《ねん》)日本《にほん》の思想家《しそうか》、教育者《きょういくしゃ》。松下村塾《しょうかそんじゅく》という私塾《しじゅく》をつくり、若者《わかもの》を集《あつ》め世《よ》の中《なか》で起《お》きていることを議論《ぎろん》し、登山《とざん》や水泳《すいえい》で身体《しんたい》を鍛《きた》えた。生徒《せいと》の多《おお》くが、幕末《ばくまつ》や明治時代《めいじじだい》に活躍《かつやく》した。

吉田松陰《よしだしょういん》のエピソード

吉田松陰《よしだしょういん》は、どうしても外国《がいこく》へ行《い》って学《まな》びたいと考《かんが》え、アメリカ船《せん》へ密航《みっこう》したものの、断《ことわ》られて自首《じしゅ》し、投獄《とうごく》されたことがあります。松陰《しょういん》は「獄中《ごくちゅう》でできることをしよう」と考《かんが》え、家族《かぞく》や友《とも》だちから本《ほん》を送《おく》ってもらい読書《どくしょ》に励《はげ》み、投獄《とうごく》されていた1年《ねん》2か月《げつ》の間《あいだ》に618冊《さつ》の本《ほん》を読《よ》みました。

また、同《おな》じ獄中《ごくちゅう》にいた罪人《ざいにん》たちに「一緒《いっしょ》に学《まな》ぼう」と持《も》ちかけて、松陰《しょういん》は学問《がくもん》を教《おし》え、罪人《ざいにん》たちからは絵《え》や俳句《はいく》など、それぞれの得意分野《とくいぶんや》について教《おし》えてもらったと伝《つた》わっています。どんな場所《ばしょ》にあっても、できることを見《み》つけて成長《せいちょう》しようとしていたのですね。

覚《おぼ》えておこう

志《こころざし》を持《も》つことは、自分《じぶん》を成長《せいちょう》させてくれる。

僕《ぼく》もアスカちゃんみたいに将来《しょうらい》の夢《ゆめ》を考《かんが》えてみるよ
将来《しょうらい》の夢《ゆめ》があると、力《ちから》が湧《わ》いてくるわよ！

75

思想家《しそうか》・教育家《きょういくか》 福沢諭吉《ふくざわゆきち》の教《おし》え

やりもしないうちから、「できないかも」と疑《うたが》う人《ひと》は、臆病者《おくびょうもの》だ。

【原文《げんぶん》】未《いま》だ試《こころ》みずして先《ま》ずその成否《せいひ》を疑《うたが》う者《もの》は、これを勇者《ゆうしゃ》というべからず。（『学問《がくもん》のすすめ』）

福沢諭吉《ふくざわゆきち》さんは、「見込《みこ》みがあるのにもかかわらず、できるかどうかの心配《しんぱい》ばかりして、やってみもしない人《ひと》は勇気《ゆうき》のある人《ひと》ではない」と言《い》っているのです。何《なに》かに挑戦《ちょうせん》しようというとき、失敗《しっぱい》するかもしれない理由《りゆう》はいくつでも挙《あ》げられます。でも、失敗《しっぱい》を恐《おそ》れるだけでは一歩《いっぽ》も前《まえ》に進《すす》めません。尻込《しりご》みしそうなときは、「勇者《ゆうしゃ》のようにチャレンジしなさい」と諭吉《ゆきち》さんは訴《うった》えているのね。

覚《おぼ》えておこう

可能性《かのうせい》を信《しん》じて、勇者《ゆうしゃ》のように、チャレンジ！

【福沢諭吉《ふくざわゆきち》】(1835年《ねん》〜1901年《ねん》) 中津藩《なかつはん》(大分県《おおいたけん》)の教育者《きょういくしゃ》、思想家《しそうか》であり 慶應義塾大学《けいおうぎじゅくだいがく》の創始者《そうししゃ》。1万円札《まんえんさつ》の肖像《しょうぞう》でも知《し》られている。

76

思想家《しそうか》・教育家《きょういくか》・農学者《のうがくしゃ》 新渡戸稲造《にとべいなぞう》の教《おし》え

人間《にんげん》は、それぞれ考《かんが》え方《かた》や、ものの見方《みかた》が違《ちが》うのが当然《とうぜん》である。その違《ちが》いを認《みと》め合《あ》い、受《う》け入《い》れられる広《ひろ》い心《こころ》を持《も》つことが大切《たいせつ》である。

【出典《しゅってん》】新渡戸稲造《にとべいなぞう》著《ちょ》『武士道《ぶしどう》』

【新渡戸稲造《にとべいなぞう》】(1862年《ねん》～1933年《ねん》) 日本《にほん》の思想家《しそうか》。日本《にほん》と世界《せかい》をつなぐ懸《か》け橋《はし》になろうと、米国《べいこく》・ドイツに留学《りゅうがく》。英語《えいご》で書《か》いた『武士道《ぶしどう》』が世界《せかい》で高《たか》く評価《ひょうか》。5000円札《えんさつ》の肖像《しょうぞう》にもなった。

「時間《じかん》をかけてイイものをつくろう」と思《おも》う人《ひと》もいれば、「素早《すばや》く作《つく》ってどんどん改良《かいりょう》していこう」と考《かんが》える人《ひと》もいるように、人《ひと》にはそれぞれ考《かんが》え方《かた》に違《ちが》いがあります。あなたと違《ちが》う考《かんが》え方《かた》の人《ひと》がいても、多《おお》くの場合《ばあい》、どっちも正《ただ》しいのです。だから、まずは大《おお》きな心《こころ》で相手《あいて》の意見《いけん》を受《う》けいれて、「それもいいね！」って考《かんが》えると、お互《たが》いの考《かんが》えのいいところを合《あ》わせることができるわよ。

覚《おぼ》えておこう

相手《あいて》の考《かんが》えは、自分《じぶん》と違《ちが》って当《あ》たり前《まえ》！

77

宗教家《しゅうきょうか》、政治指導者《せいじしどうしゃ》

ガンジーの教《おし》え1

弱《よわ》い者《もの》ほど相手《あいて》を許《ゆる》すことができない。許《ゆる》すということは、強《つよ》さの証《あか》しだ。

あなたは、相手《あいて》のほうが悪《わる》いとき、その相手《あいて》が反省《はんせい》して謝《あやま》ってきたら、すぐに許《ゆる》してあげるタイプかしら？　ガンジーさんは、そんなときに、あっさりと許《ゆる》せる人《ひと》は「本当《ほんとう》に強《つよ》い人《ひと》」だと言《い》っています。そういう人《ひと》のことを「器《うつわ》が大《おお》きい人《ひと》」とも言《い》うわね。相手《あいて》が謝《あやま》っているのに、なかなか許《ゆる》さずに、いつまでも根《ね》に持《も》つような人《ひと》は、器《うつわ》が小《ちい》さい人《ひと》です。まわりから見《み》ると、ちょっとカッコ悪《わる》い人《ひと》よね。

覚《おぼ》えておこう

強《つよ》い人《ひと》は、相手《あいて》の反省《はんせい》を受《う》けいれて、気持《きも》ちよく水《みず》に流《なが》す。

【マハトマ・ガンジー】(1869年《ねん》～1948年《ねん》)インドの政治家《せいじか》。塩《しお》を専売《せんばい》していたイギリスに抗議《こうぎ》して「塩《しお》の行進《こうしん》」と称《しょう》し、製塩《せいえん》のために海岸《かいがん》まで約《やく》380キロを行進《こうしん》して、インド独立《どくりつ》への足《あし》がかりとした。

78

宗教家《しゅうきょうか》、政治指導者《せいじしどうしゃ》 ガンジーの教《おし》え2

決《けっ》して焦《あせ》って約束《やくそく》をしてはならない。

何《なに》かを頼《たの》まれたとき、安請《やすう》け合《あ》いして約束《やくそく》を守《まも》れないと、迷惑《めいわく》をかけてしまいます。「○月《がつ》○日《にち》に」とイベントに誘《さそ》われて約束《やくそく》したのに、よく考《かんが》えるとその日《ひ》に別《べつ》の予定《よてい》が入《はい》っていたら、約束《やくそく》を破《やぶ》ることになってしまうわよね。友《とも》だちがその日《ひ》の券《けん》を買《か》ってしまったら、大迷惑《だいめいわく》になります。約束《やくそく》をするときは、ちゃんと守《まも》れるかの確認《かくにん》が必要《ひつよう》です。約束破《やくそくやぶ》り魔《ま》は、信用《しんよう》されなくなってしまうわよ。

覚《おぼ》えておこう

「できない約束《やくそく》」をしてしまわないように、注意《ちゅうい》する。

79

キリスト教思想家《きょうしそうか》 内村鑑三《うちむらかんぞう》の教《おし》え

苦《くる》しんでいるのは、自分《じぶん》だけじゃない。

【原文】病《や》むものは汝一人《なんじひとり》ならざるを知《し》れ。【出典《しゅってん》】内村鑑三《うちむらかんぞう》『基督信徒《きりすとしんと》のなぐさめ』

病気《びょうき》のときは、つい「どうして自分《じぶん》だけがこんなに苦《くる》しまなくてはいけないの？」と思《おも》ってしまいます。でも、考《かんが》えてみれば、世《よ》の中《なか》にはもっとたいへんな病《やまい》で苦《くる》しんでいる人《ひと》がたくさんいます。病気《びょうき》だけではありません。悪《わる》いことが続《つづ》いたときには、「苦《くる》しいのは自分《じぶん》だけじゃない」と思《おも》うと心《こころ》が軽《かる》くなります。それに、誰《だれ》もが、それなりの悩《なや》みを抱《かか》えていると思《おも》えば、人《ひと》に優《やさ》しくできるわよね。

覚《おぼ》えておこう

誰《だれ》もが、それなりにたいへん！

【内村鑑三《うちむらかんぞう》】（1861年《ねん》〜1930年《ねん》）東京《とうきょう》出身《しゅっしん》の宗教家《しゅうきょうか》。札幌農学校《さっぽろのうがっこう》でクラーク博士《はかせ》に学《まな》び、キリスト教《きょう》に改宗《かいしゅう》。日本《にほん》のキリスト教布教《きょうふきょう》に尽《つ》くした。

80

作家《さっか》・教師《きょうし》

デール・カーネギーの教え《おし》

人間嫌《にんげんぎら》いを直《なお》す簡単《かんたん》な方法《ほうほう》は一《ひと》つしかない。相手《あいて》の長所《ちょうしょ》を見《み》つけることだ。

【デール・カーネギー】(1888年《ねん》〜1955年《ねん》)米国《べいこく》の作家《さっか》、教師《きょうし》。貧《まず》しい農家《のうか》に生《う》まれ、セールスマン、俳優《はいゆう》など様々《さまざま》な仕事《しごと》に就《つ》く。その経験《けいけん》から人前《ひとまえ》で話《はな》すコツ等《とう》を研究《けんきゅう》。代表作《だいひょうさく》に『人《ひと》を動《うご》かす』がある。

あなたには嫌《きら》いな人《ひと》がいますか？　もし、その嫌《きら》いな相手《あいて》と顔《かお》を合《あ》わせなくてはならないなら、その人《ひと》のよいところを見《み》つけて、少《すこ》しでも好《す》きになったほうがいいわよね。カーネギーさんは、この言葉《ことば》に続《つづ》けてこう言《い》っています。「長所《ちょうしょ》は必《かなら》ず見《み》つかる」。たとえば、その人《ひと》の「短気《たんき》」なところは「行動《こうどう》が早《はや》い」、「ノロノロしているところ」を「慎重《しんちょう》」だと考《かんが》えれば、短所《たんしょ》も長所《ちょうしょ》に変《か》わるわよ。

覚《おぼ》えておこう

嫌《きら》いな相手《あいて》の「よいところ」を探《さが》してみよう。

81

医学博士《いがくはかせ》 日野原重明《ひのはらしげあき》の教《おし》え

私《わたし》たちは運命《うんめい》を生《い》きるのではなく、運命《うんめい》をつくっていくのです。

悪《わる》いことが続《つづ》くと、「これが自分《じぶん》の運命《うんめい》」ってあきらめてしまう人《ひと》、いませんか？ 日野原先生《ひのはらせんせい》は「運命《うんめい》は自分《じぶん》でつくるもの」だと言《い》っています。未来《みらい》は、すでに決《き》まったものではなく、自分《じぶん》の意思《いし》と行動《こうどう》でいくらでも変《か》えられるということね。日野原先生《ひのはらせんせい》も大《おお》きな病気《びょうき》をしましたが、それを克服《こくふく》して、100歳《さい》を超《こ》えてからもずっとお医者《いしゃ》さんとして、たくさんの人《ひと》の病気《びょうき》を治《なお》し続《つづ》けたのよ。

【日野原重明《ひのはらしげあき》】(1911年《ねん》〜2017年《ねん》)日本《にほん》の医師《いし》、医学博士《いがくはかせ》。内科医《ないかい》として活躍《かつやく》しながら、執筆《しっぴつ》や講演《こうえん》に積極的《せっきょくてき》に取《と》り組《く》み、命《いのち》の大切《たいせつ》さを伝《つた》え続《つづ》けた。「元気《げんき》に老《お》いる」を実践《じっせん》しながら、105歳《さい》の天寿《てんじゅ》を全《まっと》う。クリスチャンとしても有名《ゆうめい》だった。

日野原重明《ひのはらしげあき》のエピソード

日野原先生《ひのはらせんせい》はなんと90歳《さい》のときに、ある「10年計画《ねんけいかく》のプロジェクト」をスタートさせました。プロジェクトの終了《しゅうりょう》は１００歳《さい》のときという計画《けいかく》です。それでも、「たぶん、最後《さいご》までできるだろう」と考《かんが》えて、実際《じっさい》にそれを実現《じつげん》しました。日野原先生《ひのはらせんせい》は「新《あたら》しいことを始《はじ》めていれば、いくつになっても老《お》いることはない」と考《かんが》えていたのです。

また、先生《せんせい》は長生《ながい》きの秘訣《ひけつ》として「腹七分目《はらしちぶめ》」を実行《じっこう》していました。つまり、お腹《なか》いっぱい食《た》べると体《からだ》に負担《ふたん》がかかるので、ステーキなど、美味《おい》しくて栄養《えいよう》があるものを少《すこ》しだけ食《た》べるようにしていたのです。

覚《おぼ》えておこう

運《うん》が悪《わる》いのなら、運《うん》のいい未来《みらい》をつくればいい！

新《あたら》しいことは、いくつからでも始《はじ》められる！
未来《みらい》は、自分《じぶん》の意思《いし》で作《つく》るのね

82

政治家《せいじか》 ネルソン・マンデラの教《おし》え

何《なに》ごとも、成功《せいこう》するまでは不可能《ふかのう》に見《み》える。

よく「そんなのできっこないよ」って言《い》う人《ひと》、いるわよね。努力《どりょく》する前《まえ》からあきらめてしまって、少《すこ》し頑張《がんば》ればできることも、しないままで終《お》わってしまう人《ひと》です。でも、たとえば、鉄棒《てつぼう》の逆上《さかあ》がりや跳《と》び箱《ばこ》なんて、最初《さいしょ》は「無理無理《むりむり》！」って思《おも》っても、練習《れんしゅう》するとできるようになります。もちろん、頑張《がんば》ってもできないこともあるけれど、やりもしないで不可能《ふかのう》だと決《き》めつけたら何《なに》もできません。

覚《おぼ》えておこう

やってみると、意外《いがい》とできるもの。

【ネルソン・マンデラ】(1918年《ねん》～2013年《ねん》)南《みなみ》アフリカ共和国《きょうわこく》第《だい》8代《だい》大統領《だいとうりょう》。収監中《しゅうかんちゅう》も法学士《ほうがくし》になるため大学《だいがく》の通信制課程《つうしんせいかてい》で勉強《べんきょう》。どんな苦難《くなん》にも決《けっ》してめげることがなかった。クリスチャン。

「教《おし》えゲットの旅《たび》」を終《お》えて

たくさんのマスターたちの教《おし》えを聞《き》けて、ますます名言《めいげん》アカデミーが好《す》きになったわ。

無事《ぶじ》に目標《もくひょう》をクリアできて、ボクも自信《じしん》が持《も》てた気《き》がするよ。アスカちゃん、ありがとう！

ワンワン！

ふたりとも、マスターたちの教《おし》えがいい刺激《しげき》になったみたいね。ぜひ、これからに役立《やくだ》ててね。

80以上《いじょう》の教《おし》えを集《あつ》めたふたりとも、名言《めいげん》アカデミーの小学部《しょうがくぶ》を卒業《そつぎょう》おめでとう！次《つぎ》の中学部《ちゅうがくぶ》でも、頑張《がんば》って、立派《りっぱ》なマスターになるんじゃぞ！

あとがき

世界中《せかいじゅう》のマスターから「教《おし》え」を集《あつ》める旅《たび》、いかがでしたか？
あなたの心《こころ》に響《ひび》く「教《おし》え」はあったでしょうか？

昔《むかし》の思想家《しそうか》や哲学者《てつがくしゃ》と呼《よ》ばれる人《ひと》たちは、「人間《にんげん》はどう生《い》きるか？」などを真剣《しんけん》に考《かんが》えて、それを「教《おし》え」として残《のこ》してくれました。
一見《いっけん》、むずかしく感《かん》じるかもしれません。
でも、そうした「教《おし》え」は、問題《もんだい》に直面《ちょくめん》したときや悩《なや》んでしまったとき、解決《かいけつ》のヒントになります。

この本《ほん》で紹介《しょうかい》した「教《おし》え」が、1つでもあなたの悩《なや》みを解消《かいしょう》するお手伝《てつだ》いになれば嬉《うれ》しいです。

教《おし》えマスター　西沢泰生《にしざわやすお》

さくいん

あ

アラン……103

アリストテレス……85

い

一休(いっきゅう)……53

一遍(いっぺん)……52

う

内村鑑三(うちむらかんぞう)……118

え

栄西(えいさい)……46

か

カーネギー……119

ガンジー……116・117

カント……98

き

キリスト……22・23・24

キング牧師(ぼくし)……32

く

空海(くうかい)……40・42

グラシアン……25

け

ゲーテ……100・101

こ

孔子(こうし)……62・64・65

洪自誠(こうじせい)……76・77・78

さ

最澄(さいちょう)……43

佐久間象山(さくましょうざん)……110

サルトル……104

し

朱子(しゅし)……74・75

聖徳太子(しょうとくたいし)……108

ショーペンハウアー……102

シラー……109

荀子(じゅんし)……72・73

親鸞(しんらん)……48・50

す

スピノザ……94

そ

荘子(そうし)……70

ソクラテス……82

ソロモン王……20・21

孫子(そんし)……61

た

沢庵(たくあん)……56

さくいん

達磨（だるま）……38・39
タレス……80

て

ディオゲネス……86
デカルト……90・91
デモクリトス……83

と

道元（どうげん）……51

に

ニーチェ……106
日蓮（にちれん）……47
新渡戸稲造（にとべいなぞう）……115

は

パスカル……93

ひ

日野原重明（ひのはらしげあき）……120

ふ

福沢諭吉（ふくざわゆきち）……114
ブッダ……34・36・37
プラトン……84

ほ

法然（ほうねん）……44
墨子（ぼくし）……69
ホッブズ……92

ま

マキャベリ……88
マザー・テレサ……30・31
マホメット……26
マンデラ……122

も

モーセ……18
孟子（もうし）……66・68
モンテスキュー……96
モンテーニュ……89

よ

吉田松陰（よしだしょういん）……112

り

良寛（りょうかん）……54

る

ルソー……97
ルター……28

ろ

老子（ろうし）……58・60
ロック……95

主《おも》な出典《しゅってん》・参考文献《さんこうぶんけん》

- 聖書《せいしょ》　ルカによる福音書《ふくいんしょ》6章《しょう》
- 旧約聖書《きゅうやくせいしょ》『箴言《しんげん》』
- 新約聖書《しんやくせいしょ》　マタイによる福音書《ふくいんしょ》22章《しょう》・旧約聖書《きゅうやくせいしょ》　レビ記《き》19章《しょう》
- 内村鑑三《うちむらかんぞう》『基督信徒《きりすとしんと》のなぐさめ』
- 新約聖書《しんやくせいしょ》　マタイによる福音書《ふくいんしょ》7章《しょう》
- 天台法華宗年分学生式《てんだいほっけしゅうねんぶんがくしょうしき》
- 正法眼蔵随聞記《しょうぼうげんぞうずいもんき》
- 栄西《えいさい》『喫茶養生記《きっさようじょうき》』
- 一遍上人語録《いっぺんしょうにんごろく》
- 異体同心事《いたいどうしんじ》
- 親鸞《しんらん》『歎異抄《たんにしょう》』
- 兵法書《へいほうしょ》『孫子《そんし》』
- 孔子《こうし》『論語《ろんご》』
- 洪自誠著《こうじせいちょ》『菜根譚《さいこんたん》』
- マキャベリ著《ちょ》『君主論《くんしゅろん》』
- パスカル著《ちょ》『パンセ』
- デカルト著《ちょ》『方法序説《ほうほうじょせつ》』
- ニーチェ著《ちょ》『人間的《にんげんてき》な、あまりに人間的《にんげんてき》な』
- ホッブズ著《ちょ》『リヴァイアサン』
- カント著《ちょ》『判断力批判《はんだんりょくひはん》』
- モンテーニュ著《ちょ》『エセー』
- ショーペンハウアー著《ちょ》『パレルガとパラリポーメナ』
- アラン著《ちょ》『幸福論《こうふくろん》』
- シラー著《ちょ》『ドン・カルロス』
- 福沢諭吉著《ふくざわゆきちちょ》『学問《がくもん》のすすめ』
- 新渡戸稲造著《にとべいなぞうちょ》『武士道《ぶしどう》』

著者プロフィール

西沢泰生（にしざわ・やすお）

1962年、神奈川県生まれ。

子供の頃から本が大好き。ことわざや名言の本をあきもせずに読んでいた。

本で得た知識を活かしてテレビのクイズ番組に出場し『アタック25』『クイズタイムショック』などで優勝。

『第10回アメリカ横断ウルトラクイズ』という番組では、ニューヨークでの決勝まで進み準優勝。

現在は、そうした知識をもとに本の執筆をしている。

著書:『壁を越えられないときに教えてくれる一流の人のすごい考え方』（アスコム）/『夜、眠る前に読むと心が「ほっ」とする50の物語』『伝説のクイズ王も驚いた予想を超えてくる雑学の本』（三笠書房）/『朝礼・スピーチ・雑談 そのまま使える話のネタ100』（かんき出版）/『10分で読める 一流の人の名言100 偉人たちの言葉に学ぶ旅』（メイツ出版）他
メールの宛先yasuonnishi@yahoo.co.jp

きみの背中を押す 偉人の言葉80
10分読書で学べる世界の教えと名言

2022年12月20日　第１版・第１刷発行

著　者　西沢　泰生（にしざわ　やすお）
発行者　株式会社メイツユニバーサルコンテンツ
代表者　大羽孝志
〒102-0093 東京都千代田区平河町一丁目1-8
印　刷　三松堂株式会社

◎『メイツ出版』は当社の商標です。

© 西沢泰生, インパクト, 2018,2022.ISBN978-4-7804-2718-9 C8081 Printed in Japan.

ご意見・ご感想はホームページから承っております
ウェブサイト　https://www.mates-publishing.co.jp/

編集長：堀明研斗　企画担当：折居かおる／清岡香奈

※本書は2018年発行の『10分で読める 偉人の言葉 教えと名言80』に加筆・修正を行い、書名と装丁を変更して新たに発行したものです。